VERLAINE
ET LES POÈTES SYMBOLISTES

27ᵉ ÉDITION

PAUL VERLAINE

CLASSIQUES LAROUSSE
Collection fondée par
FÉLIX GUIRAND
Agrégé des Lettres
Dirigée par
LÉON LEJEALLE
Agrégé des Lettres

VERLAINE
ET
LES POÈTES SYMBOLISTES

avec une Notice biographique, une Notice historique et littéraire, des Notes explicatives, des Jugements, un Questionnaire et des Sujets de devoirs,

par

ALEXANDRE MICHA
Agrégé de l'Université
Docteur ès Lettres
Professeur de Première au Lycée du Parc, à Lyon

LIBRAIRIE LAROUSSE — PARIS-VIe
13 à 21, rue Montparnasse, et boulevard Raspail, 114
Succursale : 58, rue des Écoles (Sorbonne)

RÉSUMÉ CHRONOLOGIQUE DE LA VIE DE P. VERLAINE

(1844-1896)

30 mars 1844. — Naissance de P. Verlaine à Metz.

1851. — Vient avec ses parents à Paris. En pension dans une institution de la rue Hélène.

1853 — A l'institution Landry; cours au lycée Bonaparte.

1858. — Envoie ses premiers vers à V. Hugo (*la Mort*).

1862. — Reçu bachelier, s'inscrit à l'École de droit.

1863. — Rencontre, chez la marquise de Ricard, Banville, Hérédia, Coppée, C. Mendès.

1864. — Verlaine à la compagnie d'Assurances « l'Aigle et le Soleil réunis », puis expéditionnaire à l'Hôtel de Ville.

1866. — Les *Poèmes saturniens*, publiés chez Alphonse Lemerre, éditeur des Parnassiens.

1869. — Fiançailles avec Mathilde Mauté. Premiers poèmes de *la Bonne Chanson*. Publie *les Fêtes galantes*.

1870. — Mariage. Verlaine affecté au 160e bataillon de marche de la Garde nationale. *La Bonne Chanson*.

1871. — Le ménage s'installe rue Nicolet, chez les beaux-parents de Verlaine. Rimbaud accueilli par Verlaine. Naissance de Georges, fils du poète.

1872. — Mésentente conjugale. Verlaine va rejoindre Rimbaud; les deux bohèmes se dirigent sur la Belgique par Arras, et une seconde fois par Charleville et Charleroi. Sa femme, venue le rechercher à Bruxelles, ne réussit pas à le ramener. Séjour à Bruxelles avec Rimbaud, puis à Londres. Mathilde introduit une demande en séparation de corps. Rimbaud rentre à Paris, Verlaine malade à Londres.

1873. — Un instant séparés (Rimbaud est à Charleville et à Roche), les deux poètes partent pour Londres en mai. A la suite d'une querelle, Verlaine, décidé par sa mère à reprendre la vie conjugale, laisse Rimbaud à Londres sans ressources, puis, à Bruxelles où il l'a rappelé, le blesse de deux coups de revolver. Prison des Petits-Carmes; condamné à deux ans de prison et transféré à Mons.

1874. — *Romances sans paroles*. Conversion de Verlaine quand il apprend dans sa prison le jugement de séparation obtenu par sa femme.

1875. — Sort de prison le 16 janvier, rejoint Rimbaud à Stuttgart, essaye de le convertir. Professeur à Stickney (Angleterre), vacances à Arras; rupture définitive avec Rimbaud.

1876-1879. — Enseigne à Bournemouth (Angleterre), puis à l'Institution Notre-Dame, à Rethel, enfin à Lymington.

1881. — *Sagesse*.

1882-1883. — A Paris, chez sa mère, et à Boulogne-sur-Seine; collabore à des revues d'avant-garde.

1884. — Existence vagabonde à Coulommes (Ardennes). *Les Poètes maudits*. *Jadis et Naguère*.

1885. — Retour à Paris. Un mois de prison à Vouziers pour avoir tenté d'étrangler sa mère.

1886. — Mort de sa mère. Séjourne à l'hôpital Broussais, puis à l'hôpital Cochin.

1888. — *Amour*.

1889. — Saison à Aix-les-Bains. *Parallèlement*.

1890. — *Dédicaces*.

1891. — Hôpital Saint-Antoine. *Les Uns et les autres* au Vaudeville; *Bonheur*, *Chansons pour Elle*.

1892. — Habite rue Descartes, chez Eugénie Krantz. *Liturgies intimes*.

1893. — Conférences sur lui-même en Belgique et en Angleterre. *Elégies*, *Odes en son honneur*.

1894. — *Dans les limbes*; *Epigrammes*. Hôpital Saint-Louis.

1896. — Meurt rue Descartes, en présence d'Eugénie.

Verlaine avait vingt-six ans de moins que Leconte de Lisle, vingt-trois de moins que Baudelaire et que Flaubert, deux ans de moins que J.-M. de Heredia et Mallarmé, dix ans de plus que Rimbaud, onze de plus que Verhaeren, quatorze de plus que Samain, seize de plus que Laforgue, vingt de plus que H. de Régnier.

I. — VERLAINE

INTRODUCTION

La genèse de l'œuvre. — En 1866, quand Verlaine publia ses *Poèmes saturniens*, le Parnasse venait de se constituer. Leconte de Lisle, déjà auteur des *Poèmes antiques* (1852) et des *Poèmes barbares* (1862), était en poésie le maître incontesté ; Théodore de Banville avait donné neuf ans auparavant ses *Odes funambulesques*, contemporaines des *Fleurs du mal* et de *l'Art* de Théophile Gautier ; enfin, cette même année 1866, paraissait, chez Lemerre, *le Parnasse contemporain*, recueil de vers auquel collaborèrent les poètes appartenant à la tradition de « l'Art pour l'Art », et Verlaine lui-même.

Dans sa première œuvre, qui ne fit pas sensation, notre poète fait profession de foi parnassienne, proteste contre l'effusion sentimentale des romantiques, proclame un art conscient, difficile et impassible :

> Ce qu'il nous faut à nous, c'est l'étude sans trêve,
> C'est l'effort inouï, le combat non pareil,
> C'est la nuit, l'âpre nuit de travail, d'où se lève
> Lentement, lentement, l'œuvre, ainsi qu'un soleil !
>
> Libre à nos Inspirés, cœurs qu'une œillade enflamme,
> D'abandonner leur être aux vents comme un bouleau ;
> Pauvres gens ! l'Art n'est pas d'éparpiller son âme :
> Est-elle en marbre ou non, la Vénus de Milo ?
>
> (*Epilogue*.)

Mais s'il s'inspire de Gautier, de Leconte de Lisle, et aussi de Baudelaire, les thèmes et le ton verlainiens s'y manifestent déjà. Ce « Saturnien » cultive des tristesses vagues et savoureuses, et que de poèmes d'où la raideur parnassienne est absente, que de souplesse déjà dans les vers, et dans ces phrases méandreuses, que de chansons murmurées, d'une mélancolie délicate et contenue, où le poème a ce halo poétique cher au symbolisme ! Et déjà ce Verlaine des *Poèmes saturniens*, c'est le pauvre Lélian avec ses émois subtils, sinon encore avec ses déchéances et ses repentirs.

Trois ans plus tard, *les Fêtes galantes* (qui ont encore moins de succès que *les Poèmes saturniens*) apportent une note nouvelle, bien que la forme en reste parnassienne (rythmes étroits, rimes riches, etc.). Verlaine a lu *l'Art au XVIIIᵉ siècle* des Goncourt, sa sensibilité s'accorde à ce mélange de gaieté et de mélancolie en quoi réside, d'après les Goncourt, le charme de Watteau. Le rêveur s'émeut devant ce décor désuet, devant ces parcs bleutés de clair de lune, animés d'amantes et d'amants au maniérisme mélancolique et voluptueux, de mandolines qui jasent, de jets d'eau qui pleurent, d'aveux désinvoltes et cocasses. C'est le recueil de l'évasion dans un autrefois dont l'atmosphère raffinée convient à la griserie légère des sens, vite apaisés, à un appétit d'amours — ni sentimentaux, ni passionnés — toujours prêts à cueillir, à une sensualité discrète, parée de grâce, et quelque peu dolente, une fois satisfaite.

Viennent alors les mois bénis des fiançailles, reposante oasis dans la vie du « poète maudit ». Ces vingt et une pièces de *la Bonne chanson*, presque toutes très courtes, sont un des plus beaux livres d'amour de notre poésie. Nous suivons là, depuis le jour de la rencontre jusqu'à celui du mariage (« *Donc ce sera par un clair jour d'été* »), l'histoire de ce fiancé tremblant devant le bonheur qu'il va connaître, impatient de goûter la vraie tendresse et qui devait devenir, si tôt, un si étrange mari. Ce sera, en effet, bientôt le siège de 1870-1871, et notre poète-garde mobile reprendra vite ses habitudes d'intempérance ; ce sera l'arrivée de Rimbaud qui scandalise la belle-famille des Mauté et qui ranime chez Verlaine son humeur vagabonde. Le voilà maintenant sur les routes de Belgique et d'Angleterre. Sous l'influence de Rimbaud, le « voyant » qui s'attache à traduire la sensation brute et à libérer le vers, il écrit ses *Romances sans paroles*, qui connaissent un échec complet, mais inaugurent la manière musicale et méritent bien leur titre, inspiré de Mendelssohn, même dans les parties descriptives comme les *Paysages belges* et les *Aquarelles*, véritables poèmes musicaux, et non tableautins dans le genre des *Emaux et Camées* de Gautier ou des *Promenades et Intérieurs* de Coppée ; pièces intimes où le sentiment s'exprime de la manière la plus simple, états d'âme en unisson avec le paysage, tristesses inexplicables, appétits de tendresse, impressions fugitives, poèmes impressionnistes par la simple juxtaposition de sensations aiguës, c'est la manière qu'il définira dans son *Art poétique*, publié dix ans plus tard, mais contemporain de ce recueil. S'engageant assez timidement dans la voie où voulait l'entraîner Rimbaud, il pratique ici une grande variété de vers et de rythmes ; il se montre plus hardi aussi vis-à-vis de la rime ou de l'alternance des rimes, assouplit son métier.

Après le drame de Bruxelles, Verlaine sortit de prison avec un recueil qui ne vit pas le jour : les pièces de *Cellulairement* (1875) parurent, pour la plupart, les unes dans *Sagesse*, les autres dans *Jadis et Naguère*. *Sagesse* (1881), écrit d'août 1873 à juillet 1880, marque une date importante, l'avènement de sa troisième manière, mais n'obtient toujours aucun succès. Après l'abandon du foyer, après la vie de bohème en compagnie de Rimbaud, après la prison de Mons, l'« errabundus » s'assagit. Il a médité dans sa cellule et il est revenu à une foi naïve et contrite, qui sera du reste d'assez courte durée. Ce recueil est un *mea culpa*, un retour sur le passé, un colloque de l'enfant prodigue avec son père céleste, à coup sûr (malgré un certain nombre de pièces profanes) un des plus grands recueils de vers chrétiens de toute notre littérature et de toute la littérature. Verlaine vient au christianisme par le cœur, par le rayonnement de compassion qu'il y découvre (« *Allez, rien n'est meilleur à l'âme — Que de faire une âme moins triste* »), non par la dialectique désespérée d'un Pascal, ni par le grand chemin des certitudes qu'a emprunté Claudel : l'œuvre nous dévoile les aspirations profondes de son âme, les élans de son cœur, et en même temps que son besoin de croire et ses bonnes résolutions, sa lucide humilité qui lui fait redouter le retour de la « vieille folie ».

Désormais, et depuis *Jadis et Naguère* (1885), œuvre inégale qui comprend presque uniquement des poèmes de 1874, les recueils du poète nous font assister au drame où se heurtent en lui l'attirance charnelle et l'attirance mystique, et il chante l'une et l'autre « *parallèlement* », comme le dit le titre d'un de ses recueils (1889), en s'abandonnant surtout à la première de ces inspirations. Le poète de *Sagesse* revit dans *Amour*, qui contient aussi des pièces de circonstances et des pièces sur sa vie privée, dans *Bonheur*, dans *Liturgies intimes*, par lesquelles Verlaine veut affirmer sa réputation d'écrivain bien pensant. Mais bien peu de poèmes sont de la qualité de *Sagesse*. Quant au poète maudit, amateur de la « fée verte », trop faible pour résister à la tyrannie de la chair et qui passe incessamment du péché au repentir, entonnant, après un cantique à la Vierge, tel chant d'érotisme effréné, il se révèle dans *Chansons pour Elle, Odes en son honneur, Elégies, Dans les limbes, Chair*. Ces dernières œuvres, à partir de *Dédicaces*, si elles ne sont pas du meilleur Verlaine et n'ajoutent pas sensiblement à la gloire de l'écrivain, sont en tout cas un pathétique document pour la connaissance de l'homme.

L'art de Verlaine. — Le nom de Verlaine est devenu synonyme d'exceptionnelle spontanéité poétique. Cependant, si le poète n'étale pas son art et fuit toute virtuosité voyante, cet art est plus conscient qu'on ne l'a dit. Plus discret que celui du Parnasse, il se propose aussi un tout autre but : le Parnasse excellait à donner du monde extérieur un rendu nettement dessiné, qui risque de devenir un peu photographique. Paysages nocturnes, crépusculaires, automnaux, paysages qui s'exhument des brumes, où les lignes s'estompent, où tout est noyé dans un demi-jour, tels sont les tableaux où se complaît la sensibilité de Verlaine, tableaux à mi-chemin entre le rêve et la réalité, celle-ci se transformant en celui-là et réciproquement, visions où le rapport habituel des choses n'est plus observé.

Évocations et confidences sont d'un ingénu qui est souvent un ingénieux : mais il évite les effets de rhétorique, les procédés avoués, la « littérature »; il crée une forme fluide « où l'indécis au précis se joint », pour rendre ses états d'âme les plus fugaces, tout « l'indécis » de cette sensibilité elle-même, mobile et nuancée. C'est à la musique que nous fait penser cette forme vaporeuse, variée dans ses ressources, d'une sonorité si raffinée, si insinuante et qui, par la modulation du vers, le chant en sourdine du mot, recrée chez le lecteur l'impression originale ressentie par le poète. Après Baudelaire, Verlaine est à ce point de vue le premier représentant de ce qu'on appelle assez improprement aujourd'hui la « poésie pure », sorte d'incantation que le poète opère sur son lecteur, à la faveur des envoûtements de la musique, en dehors même du contenu intellectuel du poème. Relisons ces joyaux que sont *Il pleure dans mon cœur*, ou *Chanson d'automne*, ou encore *le Ciel est par-dessus le toit* : ces accords discrètement plaqués au cours du poème exercent sur nos oreilles et sur nos nerfs le même sortilège que telle page de musique impressionniste.

Au reste, et c'est encore une des caractéristiques de cet art, tout élément intellectuel est inexistant dans les poèmes verlainiens : la pensée en est absente et jamais le poète n'a essayé (comme l'a fait Baudelaire, par exemple) de coordonner ses tendances contradictoires, anarchisme et respect de l'ordre, mysticisme et sensualité. Tout entier sous la tyrannie de la sensation, le poète ne décrit même pas : il suggère à l'aide de touches légères, se contente de nous mettre dans l'atmosphère (cf. *Nevermore*, *la Lune blanche*, etc.). Ces ébauches ne sont là que parce que l'âme du poète transparaît en elles; cette poésie n'est en réalité que « rythme, mélodie, frisson d'une pensée derrière une sensation ». C'est à ce titre qu'on doit le classer parmi les symbolistes : il n'a pas pratiqué le symbole comme Mallarmé qui, cultivant l'analogie, impose un véritable effort au lecteur : la sensation chez Verlaine est à elle seule un symbole puisqu'elle contient, comme un cristal, les colorations éphémères de son moi.

Enfin, un élément fort important de son art, c'est l'originalité de l'expression rythmique : certes, les audaces de Rimbaud en ce domaine sont de tout autre envergure; mais on relève chez Verlaine une grande variété strophique : il a une préférence pour le quatrain classique et le sonnet, il use aussi du distique, du tercet, du quintil, du sixain, du septain, du huitain, du dizain, de sonnets irréguliers, renversés (les deux tercets en tête), de la ballade, etc. Quant au vers, il l'a vraiment libéré; il désarticule l'alexandrin en multipliant les coupes, en renonçant à la césure, à l'hémistiche, en prodiguant les enjambements : il en résulte un vers qui épouse les sinuosités internes, qui traîne avec nonchalance, qui traduit l'abandon au rêve. Et le style, familier, rapproche encore ce vers d'une prose rythmée.

Ensuite, il restaure le mètre impair, pratiqué par la poésie du xvi⁰ siècle, discrédité par la théorie classique de l'hémistiche. Ce vers qui boite, qui rompt les cadences trop connues, qui ne *pèse* pas, est éminemment apte à rendre les hésitations, les confidences, les sensations floues. Verlaine essaya le vers de quatorze pieds, mais refusa de pousser plus loin : au-delà, il juge que le vers perd son unité rythmique et d'ailleurs il ne renonça jamais aux nombres traditionnels. Quant à la rime, il n'en eut jamais la superstition et il alla jusqu'à la condamner dans son *Art poétique :* mais il a écrit très peu de vers qui ne riment pas; par contre, il se permet assez souvent des séquences de rimes, uniquement masculines ou (plus souvent) féminines. Contre-rimes, fausses rimes, rimes de singuliers avec des pluriels, de masculins avec des féminins, assonances, autant de tentatives qui ne l'ont jamais entraîné très loin, là non plus, des voies de la tradition.

Candide abandon, métier discret et sûr, musique aux inflexions de « flûte et de cor » — et non plus le tumultueux orchestre des romantiques, parfois trop riche en cuivres —, poésie plus murmurée qu'écrite, tel est le charme de cet art verlainien qui nous poursuit comme un parfum impérissable.

L'influence de Verlaine. — Les jeunes poètes, un peu avant 1885, découvrirent en même temps que Mallarmé, Verlaine jusqu'alors presque ignoré. L'œuvre de Rimbaud, celle de Mallarmé ont eu plus d'influence que celle de Verlaine : assez limitée, son influence a cependant précisé l'esthétique et les aspirations de la génération symboliste, et après Baudelaire il a amené les jeunes à un art nouveau. Il s'est toujours défendu d'être un chef d'école et il condamne même le symbolisme dans sa réponse à l'enquête de Jules Huret (1891) : « Le symbolisme? Comprends pas; ça doit être un mot allemand, hein? Qu'est-ce que ça peut bien vouloir dire? Moi, d'ailleurs, je m'en fiche. Quand je souffre, quand je jouis ou quand je pleure, je sais bien que ça n'est pas du symbole. »

> Chef d'école au lieu d'être tout de go
> Poète vrai comme le père Hugo,
> Comme Musset et comme Baudelaire,
> Chef d'école au lieu d'aimer et de plaire.

dit-il encore dans une *Epigramme*. Il déclare enfin dans une Préface de 1890 aux *Poèmes saturniens* : « Puis n'allez pas prendre au pied de la lettre l' « Art poétique » de *Jadis et Naguère*, qui n'est qu'une chanson après tout; je n'aurai pas fait de théorie. » En 1883-1884 cependant, deux revues de jeunes, *le Chat noir* et *Lutèce* (ex *Nouvelle Rive gauche*) firent son panégyrique, et l'accueillirent comme collaborateur, puis *le Décadent* de Baju, en 1886, reçut de lui une *Ballade pour les Décadents*. Vers le même temps Moréas et Ghil tentèrent de l'attirer au symbolisme, mais l'un et l'autre, chefs d'école autoritaires, se heurtèrent à l'indépendance de Verlaine. Les symbolistes l'écartent après 1900, et son action sur la poésie contemporaine est restreinte. Mais, éloignant ses contemporains de la poésie oratoire, il a fait du « lied » un nouveau genre littéraire : ici, son influence sur G. Kahn est manifeste, et sur Vielé-Griffin, sur Maeterlinck, sur Moréas, sur H. de Régnier, sur tous les « intimistes » de nos jours.

Flatté de plaire à la nouvelle génération et à celle qui s'élevait, il se félicitait « d'avoir affranchi le vers »; il n'admit jamais le vers libre qu'il jugeait une fantaisie dangereuse, il estimait la rime nécessaire; c'est, dit-il dans une *Epigramme* :

> un abus que je sais
> Combien il pèse et combien il encombre,
> Mais indispensable à notre art français,
>
> Autrement muet dans la poésie,
> Puisque le langage est sourd à l'accent.
> Qu'y voulez-vous faire ? Et la fantaisie
> Ici perd ses droits : rimer est pressant.

En fait, le vers libre est bien une conquête de la génération symboliste : on en doit la vulgarisation à G. Kahn, qui s'est inspiré plus de Rimbaud (il écrivit les premiers vers libres en 1873) et de Laforgue que de Verlaine. Il n'en est pas moins vrai que, par sa prédilection de l'impair, par les combinaisons de l'impair et du pair, par les enjambements répétés qui enlèvent aux vers leur découpage monotone, par les assonances et les correspondances de sonorité, par toutes ces tentatives que reprirent et poussèrent ses successeurs, Verlaine a contribué à la création de cette forme poétique nouvelle, comme il est, avec Mallarmé, le créateur d'un contenu poétique nouveau : reflets du monde extérieur sur l'âme, chansons où se dessine la vie intérieure.

BIBLIOGRAPHIE SOMMAIRE

R. Clauzel, *Sagesse, de Verlaine* (Paris, Malfère, 1929).

F. Porché, *Verlaine tel qu'il fut* (Paris, Flammarion, 1933).

A. Adam, *le Vrai Verlaine* (Paris, Droz, 1936).

POÈMES SATURNIENS
FÊTES GALANTES
LA BONNE CHANSON

NOTICE

Ce qui se passait entre 1866 et 1870. — EN POLITIQUE. *L'Italie, bien que vaincue par l'Autriche à Cuztozza, reçoit la Vénétie par l'intermédiaire de Napoléon III (26 juin 1866). Napoléon III demande à Bismarck les territoires bavarois de la rive gauche du Rhin avec Mayence (5 août).* — *Victoire prussienne sur l'Autriche à Sadova (3 juillet) et paix de Prague (23 août).* — *Réduction des crédits demandés pour l'achèvement des fortifications dans l'Est. Le prince Léopold de Hohenzollern retire sa candidature au trône d'Espagne (12 juillet 1870). Dépêche d'Ems (13 juillet) ; déclaration de guerre à la Prusse (17 juillet). Journées de Fræschviller, Reichshoffen et perte de l'Alsace.* — *Gravelotte et Saint-Privat (18 août). Capitulation de Sedan (2 septembre). Gouvernement de la Défense nationale (4 septembre). Capitulation de Metz (27 octobre). Echec des tentatives de sortie de l'armée de Paris (3 décembre).*

EN LITTÉRATURE. *1866 : V. Hugo,* les Travailleurs de la mer; *de Goncourt,* Idées et Sensations; *Coppée,* le Reliquaire; *Ponsard,* le Lion amoureux; *V. Sardou,* Nos bons villageois. — *A. Dumas,* les Idées de Mme Aubray *(1867); mort de Baudelaire (1867) et de Sainte-Beuve (1869); Daudet,* Lettres de mon moulin *(1869); Flaubert,* l'Éducation sentimentale *(1869); Michelet,* la Montagne *(1868) et fin de l'*Histoire de France *(1869); Renan,* les Apôtres *(1866),* Vie de saint Paul *(1869).*

DANS LES ARTS ET LES SCIENCES. *Dernières années de Courbet (†1877) et de Millet (†1875).* — *Le Déjeuner sur l'herbe de Manet (1866). L'Olympia de Manet fait scandale au Salon de 1866. Succès de l'école de Barbizon à l'Exposition universelle de 1867.* — *Carpeaux,* la Danse; *Saint Augustin, par V. Baltard (1866); la Trinité (1867); Garnier travaille à l'Opéra de Paris.* — *Faust à l'Opéra, et mort de Berlioz en 1869.* — *Premiers travaux de Pasteur.*

A l'étranger : Ibsen, Peer Gynt *(1867); Dostoïevsky,* Crime et Châtiment *(1866).* — *Tolstoï,* la Guerre et la paix *(1869).*

Les Poèmes saturniens. — De ce premier recueil (1866), nous citons quelques pièces caractéristiques : les trois premières appartiennent à une partie du livre que Verlaine a intitulée *Mélancholia*, les trois autres à *Paysages tristes*. A côté de poèmes dans la manière de Leconte de Lisle (*Çavitri*, poème indien), on entendra ici les premiers accents verlainiens, dont l'originalité inquiéta Baudelaire, si indifférent d'ordinaire vis-à-vis des poètes de son temps. Ce titre de *Poèmes saturniens* exprime l'inspiration générale du recueil :

> Or, ceux-là qui sont nés sous le signe Saturne,
> Fauve planète chère aux nécromanciens,
> Ont entre tous, d'après les grimoires anciens,
> Bonne part de malheur et bonne part de bile.
> L'Imagination inquiète et débile
> Vient rendre nul en eux l'effort de la Raison,

nous explique Verlaine dans une pièce liminaire, dédicace au peintre Eugène Carrière.

Les Fêtes galantes. — Ce recueil, de 1869, est avec le suivant le plus homogène des recueils verlainiens. Le poète avait lu *l'Art au XVIIIe siècle* des Goncourt et fréquenté au Louvre la galerie La Caze, récemment ouverte au public et qui présentait des œuvres de Watteau. C'est tout le charme et tout le monde de Watteau qui revivent en ces courts chefs-d'œuvre auxquels certains fervents de notre poète réservent une place de prédilection : « Chef-d'œuvre d'une formule parnassienne qui se dépasserait elle-même en deçà et au-delà de sa date », dit excellemment Charles Morice dans *l'Avertissement* de son édition des œuvres complètes de Verlaine. Nous citons ci-dessous les pièces 1, 2, 3, 15 et 22.

La Bonne Chanson. — Le recueil parut en juin 1870, deux mois avant le mariage du poète : il lui est inspiré par ses fiançailles avec Mathilde Mauté de Fleurville. Il fut mis, sous sa forme primitive (Verlaine ajouta postérieurement trois « vieilles bonnes chansons ») dans la corbeille de noces de la jeune fille. Le poète retrace ici en de courtes pièces, au nombre de vingt et une, l'histoire de son amour, ses émois de fiancé, l'impatience de voir enfin arriver le jour si attendu.

POÈMES SATURNIENS

NEVERMORE[1]

Souvenir, souvenir, que me veux-tu ? L'automne
Faisait voler la grive à travers l'air atone,
Et le soleil dardait un rayon monotone
Sur le bois jaunissant où la bise détone[2].

5 Nous étions seul à seule et marchions en rêvant,
Elle et moi, les cheveux et la pensée au vent.
Soudain, tournant vers moi son regard émouvant :
« Quel fut ton plus beau jour ? » fit sa voix d'or vivant[3],

Sa voix douce et sonore, au frais timbre angélique.
10 Un sourire discret lui donna la réplique,
Et je baisai sa main blanche, dévotement.

— Ah ! les premières fleurs, qu'elles sont parfumées !
Et qu'il bruit avec un murmure charmant
Le premier « oui »[4] qui sort de lèvres bien-aimées.

APRÈS TROIS ANS

Ayant poussé la porte étroite qui chancelle,
Je me suis promené dans le petit jardin
Qu'éclairait doucement le soleil du matin,
Pailletant chaque fleur d'une humide étincelle.

5 Rien n'a changé. J'ai tout revu : l'humble tonnelle
De vigne folle avec les chaises de rotin...
Le jet d'eau fait toujours son murmure argentin
Et le vieux tremble sa plainte sempiternelle[5].

Les roses comme avant palpitent, comme avant
10 Les grands lis orgueilleux[6] se balancent au vent,
Chaque alouette qui va et vient m'est connue.

1. Paru dans l'*Art* du 30 décembre 1865. — En anglais : « jamais plus »; 2. Sonnet irrégulier :
quatre rimes féminines au premier quatrain, quatre masculines au deuxième; 3. Vibrant
comme un métal au son chaud. Cf. vers suivant; 4. Qu'on n'entend qu'une fois et qu'on n'entendra plus jamais, d'où le titre; 5. Notez la césure au cinquième pied, de même qu'au vers 11;
6. Symbolisent l'indifférence hautaine de la nature.

Même, j'ai retrouvé debout la Velléda[1]
Dont le plâtre s'écaille au bout de l'avenue,
Grêle, parmi l'odeur[2] fade du réséda.

MON RÊVE FAMILIER[3]

Je fais souvent ce rêve étrange et pénétrant
D'une femme inconnue, et que j'aime, et qui m'aime,
Et qui n'est, chaque fois, ni tout à fait la même
Ni tout à fait une autre, et m'aime et me comprend.

5 Car elle me comprend, et mon cœur, transparent
Pour elle seule, hélas ! cesse d'être un problème
Pour elle seule, et les moiteurs de mon front blême,
Elle seule les sait rafraîchir, en pleurant.

Est-elle brune, blonde ou rousse ? — Je l'ignore.
10 Son nom ? Je me souviens qu'il est doux et sonore
Comme ceux des aimés que la Vie exila.

Son regard est pareil au regard des statues[4],
Et pour sa voix, lointaine, et calme, et grave, elle a
L'inflexion des voix chères qui se sont tues[5].

SOLEILS COUCHANTS

Une aube affaiblie
Verse par les champs
La mélancolie
Des soleils couchants.
5 La mélancolie
Berce de doux chants
Mon cœur qui s'oublie
Aux soleils couchants.
Et d'étranges rêves,
10 Comme des soleils

---

1. Prêtresse gauloise. Cf. *les Martyrs* de Chateaubriand ; **2.** Proust (*Du côté de chez Swann*) a dit le pouvoir qu'ont les parfums de ressusciter le passé par association de sensations ; **3.** Publié dans *le Parnasse contemporain*, en 1866 ; **4.** Regard mort ; **5.** Donc idéalisées par le souvenir et qui continuent à parler au cœur.

Couchants sur les grèves,
Fantômes vermeils,
Défilent sans trêves,
Défilent, pareils
15   A des grands soleils
Couchants sur les grèves.

CHANSON D'AUTOMNE

Les sanglots longs
Des violons[1]
De l'automne
Blessent mon cœur
5   D'une langueur
Monotone.

Tout suffoquant
Et blême, quand
Sonne l'heure,
10   Je me souviens
Des jours anciens[2]
Et je pleure.

Et je m'en vais
Au vent mauvais
15   Qui m'emporte,
De çà, de là,
Pareil à la
Feuille morte[3].

L'HEURE DU BERGER

La lune est rouge au brumeux horizon;
Dans un brouillard qui danse la prairie
S'endort fumeuse, et la grenouille crie
Par les joncs verts où circule un frisson.

1. Mélopée de la bise automnale; **2.** C'est, discrètement évoqué, le thème romantique de la fuite du temps qui s'harmonise avec le déclin de l'année; **3.** Les romantiques en ont fait souvent le symbole de la fragilité humaine. Cf. Lamartine: « *Emportez-moi comme elle...* ».

5 Les fleurs des eaux referment leurs corolles;
Des peupliers profilent aux lointains,
Droits et serrés, leurs spectres incertains;
Vers les buissons errent les lucioles[1];

Les chats-huants s'éveillent, et sans bruit
10 Rament[2] l'air noir avec leurs ailes lourdes,
Et le zénith s'emplit de lueurs sourdes.
Blanche, Vénus[3] émerge, et c'est la Nuit.

A. Messein, éditeur.

LES FÊTES GALANTES

CLAIR DE LUNE[4]

Votre âme est un paysage choisi
Que vont charmant[5] masques et bergamasques[6]
Jouant du luth et dansant et quasi[7]
Tristes sous leurs déguisements fantasques.

5 Tout en chantant sur le mode mineur[8]
L'amour vainqueur et la vie opportune,
Ils n'ont pas l'air de croire à leur bonheur
Et leur chanson se mêle au clair de lune,

Au calme clair de lune triste et beau,
10 Qui fait rêver les oiseaux dans les arbres
Et sangloter d'extase les jets d'eau,
Les grands jets d'eau sveltes parmi les marbres.

PANTOMIME

Pierrot[9] qui n'a rien d'un Clitandre,
Vide un flacon sans plus attendre,
Et, pratique, entame un pâté.

---

1. Vers luisants; 2. Ce verbe indique un vol pénible, dans un air dense; 3. L'étoile du berger ; 4. Paru dans *la Gazette rimée* du 20 février 1867. — Le poème a été mis en musique par Gabriel Fauré; 5. Tournure ancienne qui ne correspond pas à *charment*, mais qui marque la durée; 6. Airs de danse du XVIIIe siècle, empruntés aux paysans de la province de Bergame (Italie); 7. = presque; 8. C'est d'ordinaire celui de la tristesse; 9. Personnage de la Comédie italienne, ainsi que ceux qui suivent: Pierrot n'est plus ici le sentimental qu'il est à l'ordinaire. Clitandre est le type de l'amoureux.

Cassandre[1], au fond de l'avenue,
5 Verse une larme méconnue[2]
Sur son neveu[3] déshérité.

Ce faquin d'Arlequin[4] combine
L'enlèvement de Colombine[5]
Et pirouette quatre fois.

10 Colombine rêve, surprise
De sentir un cœur dans la brise
Et d'entendre en son cœur des voix.

SUR L'HERBE

L'abbé divague — Et toi, marquis,
Tu mets de travers ta perruque.
— Ce vieux vin de Chypre est exquis,
Moins, Camargo[6], que votre nuque.

5 — Ma flamme[7]... — Do, mi, sol, la, si.
— L'abbé, ta noirceur[8] se dévoile.
— Que je meure, Mesdames, si
Je ne vous décroche une étoile.

— Je voudrais être petit chien !
10 — Embrassons nos bergères, l'une
Après l'autre. — Messieurs ! eh bien ?
— Do, mi, sol. — Hé ! bonsoir, la lune[9] !

MANDOLINE[10]

Les donneurs de sérénades
Et les belles écouteuses
Échangent des propos fades
Sous les ramures chanteuses.

---

1. Nom d'homme ici : vieillard grognon; 2. On ne le prend pas au sérieux; 3. Léandre;
4. Personnage positif et pratique : 5. La bien-aimée d'Arlequin; 6. Nom d'une belle; 7. Début
d'une déclaration amoureuse; 8. Double sens : « tes mauvaises intentions » et aussi, sens d'argot : « ton ivresse »; 9. C'est un personnage à moitié ivre qui parle; 10. Paru dans *la Gazette
rimée* du 20 février 1867.

5   C'est Tircis[1] et c'est Aminte,
            Et c'est l'éternel Clitandre,
            Et c'est Damis qui pour mainte
            Cruelle fait maint vers tendre.

            Leurs courtes vestes de soie,
10   Leurs longues robes à queues,
            Leur élégance, leur joie
            Et leurs molles ombres bleues

            Tourbillonnent dans l'extase
            D'une lune rose et grise,
15   Et la mandoline jase
            Parmi les frissons de brise.

COLLOQUE SENTIMENTAL[2]

Dans le vieux parc solitaire et glacé,
Deux formes ont tout à l'heure passé.

Leurs yeux sont morts et leurs lèvres sont molles,
Et l'on entend à peine leurs paroles.

5   Dans le vieux parc solitaire et glacé,
Deux spectres ont évoqué le passé.

— Te souvient-il de notre extase ancienne ?
— Pourquoi voulez-vous donc qu'il m'en souvienne ?

— Ton cœur bat-il toujours à mon seul nom ?
10 Toujours vois-tu mon âme en rêve ? — Non.

— Ah ! les beaux jours de bonheur indicible
Où nous joignions nos bouches ! — C'est possible.

1. Nom de berger, comme Damis. Aminte et Clitandre sont des noms de personnages de la Comédie italienne; **2.** Ce ne sont plus ici des masques ou des marquis : seul le parc rappelle Watteau; la pièce par sa généralité domine tout le recueil : ces deux spectres sont ceux de tous ceux qui ont perdu leur amour.

— Qu'il était bleu, le ciel, et grand, l'espoir!
— L'espoir a fui, vers le ciel noir.

15 Tels ils marchaient dans les avoines folles,
Et la nuit seule entendit leurs paroles.

A. Messein, éditeur.

———————————

LA BONNE CHANSON

LA LUNE BLANCHE[1]

La lune blanche
Luit dans les bois;
De chaque branche
Part une voix
5   Sous la ramée...

  O bien-aimée.

L'étang reflète[2],
Profond miroir,
La silhouette
10 Du saule noir
Où le vent pleure...

Rêvons, c'est l'heure.

Un vaste et tendre
Apaisement
Semble descendre
15 Du firmament
Que l'astre irise[3]...

C'est l'heure exquise.

1. La pièce traite le thème, si souvent repris, de la promenade sentimentale avec la bien-aimée;
2. Pour Verlaine, peintre de reflets, cf. la pièce des *Romances sans paroles* : « *l'Ombre des arbres..* »; 3. Éclaire de reflets délicats.

LE FOYER, LA LUEUR...

Le foyer, la lueur étroite de la lampe;
La rêverie avec le doigt contre la tempe
Et les yeux se perdant parmi les yeux aimés;
L'heure du thé fumant et des livres fermés;
5 La douceur de sentir la fin de la soirée;
La fatigue charmante et l'attente adorée
De l'ombre nuptiale et de la douce nuit,
Oh! tout cela, mon rêve attendri le poursuit
Sans relâche, à travers toutes remises vaines[1],
10 Impatient des mois, furieux[2] des semaines!

N'EST-CE PAS? EN DÉPIT DES SOTS...

N'est-ce pas? en dépit des sots et des méchants
Qui ne manqueront pas d'envier notre joie,
Nous serons fiers parfois et toujours indulgents.

N'est-ce pas? nous irons, gais et lents, dans la voie
5 Modeste que nous montre en souriant l'Espoir,
Peu soucieux qu'on nous ignore ou qu'on nous voie.

Isolés dans l'amour ainsi qu'en un bois noir[3],
Nos deux cœurs, exhalant leur tendresse paisible,
Seront deux rossignols qui chantent dans le soir.

10 Quant au monde, qu'il soit envers nous irascible
Ou doux, que nous feront ses gestes? Il peut bien,
S'il veut, nous caresser ou nous prendre pour cible.

Unis par le plus fort et le plus cher lien,
Et d'ailleurs possédant l'armure adamantine[4],
15 Nous sourirons à tous et n'aurons peur de rien.

Sans nous préoccuper de ce que nous destine
Le Sort, nous marcherons pourtant du même pas,
Et la main dans la main, avec l'âme enfantine

De ceux qui s'aiment sans mélange, n'est-ce pas?

---

1. Le mariage a été plus d'une fois remis, en effet, à cause de la guerre; **2.** Qui voudrait, dans une sorte de fureur, faire passer plus vite les semaines; **3.** A l'ombre des lumières blessantes et crues de la vie ordinaire **4.** Dure et éclatante comme le diamant.

DONC, CE SERA...

Donc, ce sera[1] par un clair jour d'été :
Le grand soleil, complice de ma joie,
Fera, parmi le satin et la soie[2],
Plus belle encore votre chère beauté;

5   Le ciel tout bleu, comme une haute tente[3],
Frissonnera somptueux à longs plis
Sur nos deux fronts heureux qu'auront pâlis
L'émotion du bonheur et l'attente[4];

Et quand le soir viendra, l'air sera doux
10   Qui se jouera, caressant, dans vos voiles,
Et les regards paisibles des étoiles
Bienveillamment souriront aux époux.

A. Messein, éditeur.

1. Ce jour du mariage; 2. La toilette de la mariée; 3. Comme une draperie ou une tenture des jours de fête; 4. Cf. l'avant-dernière pièce citée, vers 5.

ROMANCES SANS PAROLES

NOTICE

Ce qui se passait en 1874. — En politique. *Présidence de Mac-Mahon. Travaux de la Commission de l'Assemblée nationale chargée de préparer les lois constitutionnelles.* — *Traité de Saigon : la France reconnaît la souveraineté du roi d'Annam qui renonce à toute prétention sur la Cochinchine.*

En littérature. *Flaubert*, la Tentation de saint Antoine ; *V. Sardou*, la Haine ; *Fustel de Coulanges*, Institutions politiques de l'ancienne France. — *Taine entreprend ses* Origines de la France contemporaine. — *Mort de Guizot et de Michelet.* — *Daudet*, Fromont jeune et Risler aîné.

Dans les arts et les sciences. *Origines de l'impressionnisme en peinture : Monet, Pissarro, Sisley, etc.* — *Bizet*, Carmen. — *Fondation de l'École française de Rome.* — *Travaux de Berthelot.* — *Tolstoï*, Anna Karénine *(1873-1876)*.

Contenu de ce recueil. — Ce recueil (1874) comprend plusieurs parties : *Ariettes oubliées* (dont nous publions la troisième pièce « *Il pleure dans mon cœur...* » et la septième, « *O triste, triste était mon âme* »), *Paysages belges* (nous en donnons le deuxième poème, « *Charleroi* », et le cinquième, « *Chevaux de bois* »), *Birds in the Night*, et enfin *Aquarelles* (*Green* » en est la première pièce). Verlaine a noté là des impressions de voyage (cf. Résumé chronologique de sa vie) qui voisinent avec des poèmes inspirés par sa vie privée et son goût du rêve. Le recueil a suivi la « cassure » de sa vie, c'est-à-dire la rupture avec Mathilde et l'on y sent l'influence de Rimbaud (cf. Introduction), tant pour la vision du monde extérieur que pour la variété des mètres.

ROMANCES SANS PAROLES

IL PLEURE DANS MON CŒUR

> Il pleut doucement sur la ville.
> (A. RIMBAUD.)

Il pleure[1] dans mon cœur
Comme il pleut sur la ville,
Quelle est cette langueur
Qui pénètre mon cœur[2]?

5   O bruit doux de la pluie
Par terre et sur les toits!
Pour un cœur qui s'ennuie
O le chant de la pluie!

Il pleure sans raison
10   Dans ce cœur qui s'écœure.
Quoi! nulle trahison?
Ce deuil est sans raison.

C'est bien la pire peine
De ne savoir pourquoi
15   Sans amour et sans haine
Mon cœur a tant de peine[3].

O TRISTE, TRISTE ÉTAIT MON AME...

O triste, triste était mon âme[4]
A cause, à cause d'une femme.

Je ne me suis pas consolé
Bien que mon cœur s'en soit allé,

5   Bien que mon cœur, bien que mon âme
Eussent fui loin de cette femme[5].

1. Construit impersonnellement correspond à *il pleut ;* **2.** Noter les trois rimes dans chaque strophe, laissant le deuxième vers isolé; **3.** Le poème a été mis en musique par Gabriel Fauré; **4.** Pièce vraisemblablement inspirée par Mathilde. Verlaine, en effet, ne s'est pas consolé; **5.** En Belgique et en Angleterre.

Je ne me suis pas consolé,
Bien que mon cœur s'en soit allé.

Et mon cœur, mon cœur trop sensible
10   Dit à mon âme : Est-il possible,

Est-il possible, — le fût-il —
Ce fier exil, ce triste exil ?

Mon âme dit à mon cœur : Sais-je
Moi-même, que nous veut ce piège

15   D'être présents[1] bien qu'exilés,
Encore que loin en allés ?

CHARLEROI[2]

Dans l'herbe noire
Les Kobolds[3] vont,
Le vent profond[4]
Pleure, on veut croire.

5   Quoi donc se sent ?
L'avoine siffle ;
Un buisson gifle
L'œil au passant.

Plutôt des bouges
10   Que des maisons,
Quels horizons
De forges rouges[5] !

On sent donc quoi ?
Des gares tonnent,
15   Les yeux s'étonnent,
Où Charleroi ?

Parfums sinistres !
Qu'est-ce que c'est ?

1. Il ne peut oublier sa femme; 2. Inspiré par le voyage en Belgique de 1872; 3. Génies des légendes nordiques; 4. Impression à la fois auditive (= qui fait entendre une musique grave) et tactile; 5. Le couchant incendié et aussi les lueurs jetées au ciel par les usines.

Quoi bruissait
20   Comme des sistres?

Sites brutaux!
Oh! votre haleine,
Sueur humaine,
Cris des métaux[1]!

25   Dans l'herbe noire
Les Kobolds vont,
Le vent profond
Pleure, on veut croire.

CHEVAUX DE BOIS

> Par Saint-Gille
> Viens nous-en,
> Mon agile
> Alezan.
> (V. Hugo.)

Tournez, tournez, bons chevaux de bois,
Tournez cent tours, tournez mille tours,
Tournez souvent et tournez toujours,
Tournez, tournez au son des hautbois.

5   Le gros soldat, la plus grosse bonne
Sont sur vos dos comme dans leur chambre[2];
Car, en ce jour, au bois de la Cambre[3]
Les maîtres sont tous deux en personne.

Tournez, tournez, chevaux de leur cœur,
10   Tandis qu'autour de tous vos tournois[4]
Clignote l'œil du filou[5] sournois.
Tournez autour du piston vainqueur.

C'est ravissant comme ça vous soûle,
D'aller ainsi dans ce cirque bête!
15   Bien dans le ventre et mal dans la tête,
Du mal en masse et du bien en foule.

---

1. Passés au laminoir, découpés à l'emporte-pièce, plongés tout rouges dans l'eau, etc.
2. Ne cherchent pas à garder une attitude digne; **3.** C'est le bois de Boulogne des Bruxellois; **4.** Au sens propre: tournoiements, courses en rond; **5.** Le pickpocket qui fréquente les champs de foire.

Tournez, tournez, sans qu'il soit besoin
D'user jamais de nuls éperons,
Pour commander à vos galops ronds,
20   Tournez, tournez, sans espoir de foin.

Et dépêchez, chevaux de leur âme,
Déjà, voici que la nuit qui tombe
Va réunir pigeon et colombe,
Loin de la foire et loin de madame.

25   Tournez, tournez! le ciel en velours
D'astres en or se vêt lentement,
Voici venir l'amante et l'amant.
Tournez au son joyeux des tambours.

      Champ de foire de Saint-Gilles, août 1872.

GREEN[1]

Voici des fruits, des fleurs, des feuilles et des branches,
Et puis voici mon cœur, qui ne bat que pour vous.
Ne le déchirez pas avec vos deux mains blanches,
Et qu'à vos yeux si beaux l'humble présent soit doux.

5 J'arrive tout couvert encore de rosée
Que le vent du matin vient glacer à mon front.
Souffrez que ma fatigue, à vos pieds reposée,
Rêve des chers instants qui la délasseront.

Sur votre jeune sein laissez rouler[2] ma tête
10 Toute sonore encor de vos derniers baisers;
Laissez-la s'apaiser de la bonne[3] tempête,
Et que je dorme un peu puisque vous reposez.

                  A. Messein, éditeur.

---

1. Cf. Marceline Desbordes-Valmore : *les Roses de Saadi*. — La pièce rappelle l'inspiration de *la Bonne chanson*, mais n'a pas été inspirée par Mathilde; **2.** Le terme exprime à la fois l'ivresse et la fatigue; **3.** Celle qu'il a éprouvée dans sa marche à travers champs (cf. v. 6), par opposition à celle des sens et des exaltations provoquées par l'alcool.

SAGESSE

NOTICE

Ce qui se passait en 1881. — EN POLITIQUE. *Présidence de Jules Grévy.* — *Chute du ministère Jules Ferry (12 mai). Lois rétablissant la liberté de la presse et la liberté de réunion. Lois de J. Ferry rendant l'instruction primaire obligatoire et gratuite pour tous les enfants de six à treize ans (16 juin).* — *Luttes entre les chefs des groupes républicains à propos de la révision de la Constitution de 1875.* — *Politique d'expansion coloniale : le commandant Rivière fait la conquête du delta de Cochinchine. Traité du Bardo (12 mai) établissant le protectorat de la France sur la Tunisie.*

EN LITTÉRATURE. *Taine publie sa* Philosophie de l'art; *Flaubert,* Bouvard et Pécuchet *(posthume); A. France,* le Crime de Sylvestre Bonnard. — *Renan,* Marc Aurèle et la fin du monde antique. — *Hugo,* les Quatre Vents de l'esprit.

DANS LES ARTS ET LES SCIENCES. *Degas,* le Portrait de famille; *Puvis de Chavannes,* le Pauvre Pêcheur, Ludus pro patria; *Rodin,* Adam; *Massenet,* Hérodiade; *C. Franck,* Rebecca; *G. Fauré,* Ballade pour piano et orchestre.

Pasteur découvre la vaccination anticharbonneuse.

A l'étranger : *Tennyson,* la Coupe; *mort de Dostoïevsky et de Benjamin Disraeli.*

Caractère de ce recueil. — *Sagesse* est l'œuvre de la conversion; plusieurs des pièces qui la composent étaient destinées d'abord à un recueil intitulé *Cellulairement,* écrit dans la prison de Mons. *Sagesse* ne parut qu'en 1881, à une époque où déjà le pauvre Lélian est repris par la bohème et par l'alcool. Le volume fut dédié, en 1889, par le poète à la mémoire de sa mère. Écoutons ce qu'il en dit dans la Préface de la première édition : « L'auteur de ce livre n'a pas toujours pensé comme aujourd'hui. Il a longtemps erré dans la corruption contemporaine, y prenant sa part de faute et d'ignorance. Des chagrins très mérités l'ont depuis averti, et Dieu lui a fait la grâce de comprendre l'avertissement. Il s'est prosterné devant l'autel longtemps méconnu, il adore la Toute-Bonté et invoque la Toute-Puissance, fils soumis de l'Église, le dernier en mérites, mais plein de bonne volonté. »

A côté des pièces religieuses figurent des pièces confidentielles (cf. « *Ecoutez la chanson bien douce,...*», « *Je suis venu, calme orphelin* ») ou même des impressions et des paysages.

SAGESSE

SAGESSE D'UN LOUIS RACINE...

Sagesse d'un Louis Racine[1], je t'envie !
O n'avoir pas suivi les leçons d'un Rollin[2],
N'être pas né dans le grand siècle à son déclin,
Quand le soleil couchant[3], si beau, dorait la vie.

5 Quand Maintenon[4] jetait sur la France ravie
L'ombre douce et la paix de ses coiffes de lin,
Et royale abritait la veuve et l'orphelin,
Quand l'étude de la prière était suivie,

Quand poète et docteur[5], simplement, bonnement,
10 Communiaient avec des ferveurs de novices,
Humbles servaient la Messe et chantaient aux offices

Et, le printemps venu, prenaient un soin charmant
D'aller dans les Auteuils[6] cueillir lilas et roses
En louant Dieu, comme Garo[7], de toutes choses !

NON, IL FUT GALLICAN...

Non. Il fut gallican[8], ce siècle, et janséniste[9] !
C'est vers le Moyen Age énorme et délicat
Qu'il faudrait que mon cœur en panne naviguât,
Loin de nos jours d'esprit charnel et de chair triste.

5 Roi, politicien, moine, artisan, chimiste,
Architecte, soldat, médecin, avocat,

---

1. Fils de Jean Racine et auteur de *la Grâce*, et de *la Religion* (1742); **2.** Recteur de l'Université de Paris à la fin du XVIIe siècle. Auteur d'un *Traité des Etudes* (1726) et d'une *Histoire romaine* ; **3.** Désigne le Roi-Soleil à son déclin; **4.** *Mme de Maintenon*, que Louis XIV épousa en 1684, portait, à la fin de sa vie, une sorte de cornette, comme les religieuses la portent (v. 6); ramena le roi à l'austérité religieuse et s'occupa des demoiselles de Saint-Cyr (v. 7); **5.** Evocation de Port-Royal : poète = Racine; docteur = docteur en théologie; **6.** Allusion à la maison de campagne de Boileau à Auteuil; **7.** Personnage du *Gland et la Citrouille* de La Fontaine, d'un bon sens borné. Verlaine voudrait retrouver la sérénité que donne la soumission totale aux volontés de Dieu; **8.** Allusion aux querelles entre ultramontains et gallicans : les seconds représentés par Bossuet (*Déclaration des quatre articles*, 1682), déclaraient le pouvoir temporel indépendant du spirituel et proclamaient l'autorité suprême des conciles généraux, supérieurs au pape; **9.** Allusion à la sévère doctrine de Jansen, évêque d'Ypres, sur la prédestination et sur la grâce, adoptée par les Solitaires de Port-Royal-des-Champs.

Quel temps! Oui, que mon cœur naufragé rembarquât
Pour toute cette force ardente, souple[1], artiste!

Et là que j'eusse part — quelconque, chez les rois
10 Ou bien ailleurs, n'importe, — à la chose vitale[2],
Et que je fusse un saint, actes bons[3], pensers droits,

Haute théologie et solide morale,
Guidé par la folie[4] unique de la Croix
Sur tes ailes[5] de pierre, ô folle cathédrale!

ÉCOUTEZ LA CHANSON BIEN DOUCE

Écoutez la chanson bien douce[6]
Qui ne pleure que pour vous plaire[7],
Elle est discrète, elle est légère :
Un frisson d'eau sur de la mousse!

5 La voix[8] vous fut connue (et chère!)[9],
Mais à présent elle est voilée
Comme une veuve[10] désolée,
Pourtant comme elle encore fière,

Et dans les longs plis de son voile
10 Qui palpite aux brises d'automne,
Cache[11] et montre au cœur qui s'étonne
La vérité[12] comme une étoile[13].

Elle dit, la voix reconnue,
Que la bonté c'est notre vie,
15 Que de la haine et de l'envie
Rien ne reste, la mort venue.

Elle parle aussi de la gloire
D'être simple[14] sans plus attendre,

1. Par opposition aux étroitesses de la controverse religieuse (v. 1); 2. Par opposition aux mesquineries inutiles de la controverse; 3. Apposition libre à *je* = aux actes bons; 4. Cf. p. 32, vers 50 (*Etes-vous fous?*); 5. Les clochers aériens ont l'air de s'envoler dans le ciel; 6. Verlaine implore discrètement le pardon de sa femme qui n'a plus revu son mari depuis 1872 et qui, en 1881, a obtenu le divorce; 7. Noter l'allitération; 8. La mienne; 9. A l'époque de *la Bonne chanson*; 10. L'image est entraînée par *voilée*; 11. Idée de discrétion; 12. Elle est dans les deux strophes suivantes; 13. L'image s'explique par le vers précédent : dans ses scintillements, l'étoile se cache et se montre; 14. « Vous n'avez rien compris à ma simplicité », dit Verlaine à sa femme dans *Romances sans paroles*.

Et de noces d'or[1], et du tendre
20   Bonheur d'une paix sans victoire[2].

Accueillez la voix qui persiste
Dans son naïf épithalame[3].
Allez, rien n'est meilleur à l'âme
Que de faire une âme moins triste !

25   Elle est « en peine » et « de passage[4] »
L'âme[5] qui souffre sans colère[6],
Et comme sa morale[7] est claire !...
Écoutez la chanson bien sage.

MON DIEU M'A DIT...[8]

I

Mon Dieu m'a dit : — Mon fils, il faut m'aimer. Tu vois
Mon flanc percé, mon cœur qui rayonne et qui saigne[9],
Et mes pieds offensés[10] que Madeleine[11] baigne
De larmes, et mes bras douloureux sous le poids

5 De tes péchés, et mes mains ! Et tu vois la croix,
Tu vois les clous, le fiel, l'éponge et tout t'enseigne
A n'aimer, en ce monde amer où la chair règne,
Que ma Chair et mon Sang[12], ma parole et ma voix.

Ne t'ai-je pas aimé jusqu'à la mort moi-même,
10 O mon frère en mon Père, ô mon fils en l'Esprit,
Et n'ai-je pas souffert, comme c'était écrit ?

N'ai-je pas sangloté[13] ton angoisse suprême
Et n'ai-je pas sué la sueur de tes nuits,
Lamentable ami qui me cherches[14] où je suis ?

---

1. D'une longue vie en commun; **2.** Parce que chacun des époux fait des concessions à l'autre; **3.** Chant nuptial. Cf. *Bonne chanson* ; **4.** Elle ne veut pas s'arrêter, insister, s'imposer; **5.** Celle de Verlaine; **6.** Verlaine a plusieurs fois voulu recommencer sa vie et rebâtir le foyer détruit : il a été repoussé par sa femme et il ne s'est pas plaint; **7.** Définie à 13-16, 23-24 : noblesse et douceur du pardon, de la pitié; **8.** Ces sonnets, écrits en août 1874, appartenaient d'abord à un recueil de trente-deux pièces, intitulé par Verlaine *Cellulairement* et étaient datés de Mons, 15 janvier 1875, sortie de prison. Dans cette série de sonnets, Verlaine s'inspire à la fois de l'*Imitation* et de Pascal, *Mystère de Jésus* ; **9.** Cf. *Mystère de Jésus* : « J'ai versé telles gouttes de sang pour toi »; **10.** Blessés; **11.** Marie-Madeleine, la pécheresse, qui a assisté au supplice du Calvaire; **12.** Jésus rappelle ici l'Eucharistie, et au vers 10, le dogme de la Trinité; **13.** Emploi transitif du verbe, repris du XVIe siècle. — Dans le Mystère de la Rédemption, Jésus souffre toutes les douleurs humaines; **14.** Cf. *Mystère de Jésus* : « Console-toi, tu ne me chercherais pas, si tu ne m'avais trouvé. » — Notez les coupes du vers.

II

15 J'ai répondu : — Seigneur, vous avez dit mon âme.
C'est vrai que je vous cherche et ne vous trouve pas.
Mais vous aimer ! Voyez comme je suis en bas,
Vous dont l'amour toujours monte comme la flamme.

Vous la source de paix que toute soif réclame,
20 Hélas ! voyez un peu tous mes tristes combats !
Oserai-je adorer la trace de vos pas,
Sur ces genoux saignants d'un rampement infâme ?

Et pourtant je vous cherche en longs tâtonnements,
Je voudrais que votre ombre au moins vêtit ma honte,
25 Mais vous n'avez pas d'ombre, ô vous dont l'amour monte,

O vous, fontaine calme, amère aux seuls amants
De leur damnation, ô vous toute lumière
Sauf aux yeux dont un lourd baiser tient la paupière[1] !

III

— Il faut m'aimer ! Je suis l'universel Baiser,
30 Je suis cette paupière et je suis cette lèvre
Dont tu parles, ô cher malade, et cette fièvre
Qui t'agite, c'est moi toujours ! Il faut oser

M'aimer ! Oui, mon amour monte sans biaiser
Jusqu'où ne grimpe pas ton pauvre amour de chèvre,
35 Et t'emportera comme un aigle vole un lièvre,
Vers des serpolets qu'un ciel cher vient arroser !

O ma nuit claire ! O tes yeux dans mon clair de lune[2] !
O ce lit de lumière et d'eau parmi la brume !
Toute cette innocence et tout ce reposoir !

40 Aime-moi ! Ces deux mots sont mes verbes suprêmes,
Car étant ton Dieu tout-puissant, je peux vouloir,
Mais je ne veux d'abord que pouvoir que tu m'aimes[3] ?

1. Le baiser terrestre, par opposition au baiser mystique; 2. L'image exprime l'amour reposant, consolant du Christ, qui baigne les âmes de sereine clarté (cf. les deux vers suivants); 3. Opposition entre le Dieu de l'Ancien Testament, distant et redoutable, et Jésus qui, se faisant homme (mystère de l'Incarnation), devient pour l'homme son semblable.

IV

—Seigneur, c'est trop! Vraiment je n'ose. Aimer qui? Vous?
Oh! non! Je tremble et n'ose. Oh! vous aimer je n'ose,
45 Je ne veux pas! Je suis indigne[1]. Vous, la Rose
Immense des purs vents de l'Amour, ô vous, tous

Les cœurs[2] des saints, ô Vous qui fûtes le Jaloux
D'Israël[3], Vous la chaste abeille qui se pose
Sur la seule fleur d'une innocence mi-close,
50 Quoi, moi, moi pouvoir Vous aimer! Êtes-vous fous[4],

Père, Fils, Esprit? Moi, ce pêcheur-ci, ce lâche,
Ce superbe[5], qui fait le mal comme sa tâche
Et n'a dans tous ses sens, odorat, toucher, goût,

Vue, ouïe, et dans tout son être — hélas! dans tout
55 Son espoir et dans tout son remords — que l'extase
D'une caresse où le seul vieil Adam[6] s'embrase?

V

— Il faut m'aimer. Je suis ces Fous que tu nommais,
Je suis l'Adam nouveau qui mange le vieil homme,
Ta Rome, ton Paris, ta Sparte et ta Sodome[7],
60 Comme un pauvre[8] rué parmi d'horribles mets.

Mon amour est le feu qui dévore à jamais
Toute chair insensée, et l'évapore comme
Un parfum — et c'est le déluge qui consomme
En son flot tout mauvais germe que je semais,

65 Afin qu'un jour la Croix où je meurs fût dressée
Et que par un miracle effrayant de bonté
Je t'eusse un jour à moi, frémissant et dompté.

Aime. Sors de ta nuit[9]. Aime. C'est ma pensée
De toute éternité[10], pauvre âme délaissée,
70 Que tu dusses m'aimer, moi seul qui suis resté!

. . . .

---

1. Rappel du texte liturgique : « *Domine, non sum dignus* »; **2.** = *Qui êtes tous les cœurs ;* **3.** Le « Dieu jaloux » de l'Ancien Testament, opposé au Rédempteur; **4.** Saint Augustin (*Note de Verlaine*); **5.** Sens latin : orgueilleux; **6.** Le vieil homme, l'homme du péché des Écritures (cf. v. 58 où l'*Adam nouveau* est le Rédempteur); **7.** *Compléments de mange :* ces villes désignent la luxure ou la puissance matérielle; **8.** Idée profonde, conforme au dogme : Jésus ne se réalise que par la Rédemption : il a donc besoin (= *pauvre*) des hommes. Jésus prend sur lui tous les péchés (*horribles mets*) de l'humanité; **9.** Rapprocher des vers *37-38*; **10.** Inspiration janséniste : doctrine de l'élection.

VIII

— Ah! Seigneur, qu'ai-je? Hélas! me voici tout en larmes
D'une joie extraordinaire : votre voix
Me fait comme du bien et du mal à la fois,
Et le mal et le bien, tout a les mêmes charmes.

75 Je ris, je pleure, et c'est comme un appel aux armes[1]
D'un clairon pour des champs de bataille où je vois
Des anges bleus et blancs portés sur des pavois,
Et ce clairon m'enlève en de fières alarmes[2].

J'ai l'extase et j'ai la terreur[3] d'être choisi.
80 Je suis indigne, mais je sais votre clémence.
Ah! quel effort, mais quelle ardeur! Et me voici

Plein d'une humble prière, encor qu'un trouble immense
Brouille[4] l'espoir que votre voix me révéla,
Et j'aspire en tremblant.

IX

— Pauvre âme, c'est cela[5]!

GASPARD HAUSER CHANTE[6]

Je suis venu, calme orphelin,
Riche de mes seuls yeux tranquilles,
Vers les hommes des grandes villes :
Ils ne m'ont pas trouvé malin.

5 A vingt ans un trouble nouveau
Sous le nom d'amoureuses flammes
M'a fait trouver belles les femmes :
Elles ne m'ont pas trouvé beau.

---

1. La strophe est une admirable paraphrase des expressions religieuses *soldat du Christ, Eglise militante*, etc.; **2.** Parce qu'il redoute d'être choisi (v. 9) et parce qu'il va livrer le combat; **3.** *Extase et terreur :* les deux mots sont l'explication de tout ce drame mystique; **4.** Me fait paraître incertain; **5.** *Cela*, c'est-à-dire : ce que tu cherches, la vraie foi, le véritable amour de Dieu; **6.** Appartenait à *Cellulairement*. Daté de « Bruxelles, prison des Petits-Carmes, août 1873, après ma condamnation ». — Verlaine s'identifie au malheureux fils putatif de Stéphanie de Beauharnais, nièce de Joséphine, assassiné à Anspach en 1833.

        Bien que sans patrie et sans roi
10   Et très brave ne l'étant guère,
        J'ai voulu mourir à la guerre :
        La mort n'a pas voulu de moi.

        Suis-je né trop tôt ou trop tard[1] ?
        Qu'est-ce que je fais en ce monde ?
15   O vous tous, ma peine est profonde;
        Priez pour le pauvre Gaspard !

LE CIEL EST PAR-DESSUS LE TOIT..

        Le ciel est par-dessus le toit[2]
            Si bleu, si calme[3] !
        Un arbre par-dessus le toit[4]
            Berce sa palme.

5   La cloche dans le ciel qu'on voit
            Doucement tinte.
        Un oiseau sur l'arbre qu'on voit
            Chante sa plainte.

        Mon Dieu, mon Dieu, la vie est là,
10   Simple et tranquille[5].
        Cette paisible rumeur-là
            Vient de la ville.

        — Qu'as-tu fait, ô toi que voilà[6]
            Pleurant sans cesse[7],
15   Dis, qu'as-tu fait, toi que voilà[8],
            De ta jeunesse ?

                              A. Messein, éditeur.

---

1. Rappelle le fameux : « *Je suis venu trop tard dans un monde trop vieux* »; 2. Daté de Bruxelles, Petits-Carmes, septembre 1873. — La pièce, comme la série de sonnets cités plus haut, a été inspirée à Verlaine par son séjour à la prison de Mons. Elle a été mise en musique par G. Fauré; 3. Il n'aperçoit qu'un petit coin de ciel qui se détache sur la grisaille du toit; 4. Même mot repris à la rime, ainsi qu'aux vers 1 et 3 de chaque strophe : l'effet est le même que dans : « *Il pleure* »; 5. Les deux adjectifs résument l'impression et préparent le mouvement qui suit : cette innocence le fait songer à sa vie désordonnée de naguère; 6. Il s'apostrophe lui-même; 7. Ce qui est vain; 8. La répétition à la rime rend l'écœurement du poète.

JADIS ET NAGUÈRE — AMOUR — PARALLÈLEMENT

NOTICE

Ce qui se passait entre 1881 et 1889. — EN POLITIQUE. *Présidence de Jules Grévy (1879-1887), Sadi Carnot (1887-1894). La Triple-Alliance (1882) entre l'Allemagne, l'Autriche et l'Italie. — Mort de Gambetta (1882). — Ministère J. Ferry (1883-1885). — Le boulangisme (1886-1889).*

Guerre contre l'Annam qui accepte le protectorat de la France (1883) et contre la Chine : traité de Tien-tsin qui nous abandonne le Tonkin (1885). Conquête du Soudan et du Congo.

EN LITTÉRATURE. *H. Becque, les Corbeaux (1882) ; romans de Daudet (Sapho, 1884) ; Maupassant, Une vie (1883), Fort comme la mort (1889) ; Loti, Mon frère Yves (1883). — Zola, les Rougon-Macquart (1869-1893). — Taine, derniers volumes des Origines de la France contemporaine ; Renan, premiers volumes de l'Histoire du peuple d'Israël. — Romans «idéologiques» de Barrès (le Culte du moi). — Bergson, Essai sur les données immédiates de la conscience (1888).*

DANS LES ARTS ET LES SCIENCES. *Mort de Manet en 1883 ; œuvres de Renoir (la Danse), Degas, Monet (les Nymphéas), Puvis de Chavannes, Fantin-Latour. — Œuvres de Rodin (le Penseur), Bourdelle, Bartholomé. — Wagner, Parsifal (1882).*

Travaux en chimie-physique de Berthelot ; Pasteur et la vaccination contre la rage (1885). — Premier dirigeable, la France (1884).

A l'étranger : Nietzsche, Ainsi parlait Zarathoustra (1885) ; Swinburne, Poèmes (1881-1889).

Composition et inspiration de ces recueils. — Le premier de ces recueils (1884) est artificiel dans sa composition, constitué par des œuvres à peu près contemporaines de la publication et par d'autres plus anciennes. Ce titre n'oppose aucunement deux états d'âme, comme c'est, par exemple, le cas pour les sous-titres des *Contemplations* : « *Autrefois, Aujourd'hui* ».

Le troisième recueil (1889) exprime par son titre la dualité d'inspiration que nous avons signalée dans notre introduction, et il comprend lui aussi un assez bon nombre de pièces anciennes.

Quant au deuxième (1888), il a été inspiré en partie à Verlaine, par la mort d'un de ses anciens élèves de Rethel, Lucien Letinois, pour lequel il avait conçu une paternelle tendresse.

JADIS ET NAGUÈRE

ART POÉTIQUE[1]

De la musique avant toute chose,
Et pour cela préfère l'Impair[2]
Plus vague et plus soluble[3] dans l'air,
Sans rien en lui qui pèse ou qui pose[4].

5   Il faut aussi que tu n'ailles point
Choisir tes mots sans quelque méprise[5] :
Rien de plus cher que la chanson grise[6]
Où l'Indécis au Précis se joint.

C'est des beaux yeux derrière des voiles[7],
10   C'est le grand jour tremblant de midi,
C'est par un ciel d'automne attiédi,
Le bleu fouillis des claires étoiles !

Car nous voulons la Nuance encor,
Pas la Couleur, rien que la Nuance !
15   Oh ! la Nuance seule fiance[8]
Le rêve au rêve et la flûte au cor !

Fuis du plus loin la Pointe assassine[9],
L'Esprit cruel et le Rire impur[10],
Qui font pleurer les yeux de l'Azur,
20   Et tout cet ail[11] de basse cuisine !

Prends l'éloquence[12] et tords-lui son cou !
Tu feras bien, en train d'énergie,
De rendre un peu la rime assagie[13] :
Si l'on n'y veille, elle ira jusqu'où[14] ?

1. Écrit à Mons en avril 1874. Appartenait à *Cellulairement* et publié dans *Paris moderne* du 10 novembre 1882 ; 2. Le vers impair : Verlaine remet en honneur le vers de neuf et de onze syllabes ; 3. Fluide ; 4. « Qui appuie » : le vers impair reste comme en suspens, parce que notre oreille habituée aux cadences « carrées » est surprise par cette cadence boiteuse ; 5. Pour suggérer ; encore faut-il ajouter que la *méprise* doit être, pour suggérer l'inexprimable, non celle d'un maladroit, mais d'un artiste ; 6. Où les nuances incertaines et discrètes se fondent ; 7. La strophe est le développement du vers 8 ; 8. Accorde, permet de se joindre ; 9. Mortelle pour la poésie ; 10. Verlaine ne désigne pas seulement ici la poésie satirique, mais toute ironie, tout esprit qui sont des souillures pour la poésie « pure » (cf. *Azur*, vers suivant) ; 11. Assaisonnement grossier et violent ; 12. La rhétorique avec tous ses procédés ; 13. = plus discrète ; il s'en prend ici à la superstition parnassienne de la rime (Banville surtout) ; 14. Exemple de rime acrobatique et cocasse.

25 O qui dira les torts de la Rime !
Quel enfant sourd[1] ou quel nègre[2] fou
Nous a forgé ce bijou d'un sou
Qui sonne creux et faux sous la lime ?

De la musique encore et toujours !
30 Que ton vers soit la chose envolée[3]
Qu'on sent qui fuit d'une âme en allée
Vers d'autres cieux à d'autres amours.

Que ton vers soit la bonne aventure[4]
Eparse au vent crispé[5] du matin
35 Qui va fleurant la menthe et le thym...
Et tout le reste est littérature[6].

LANGUEUR[7]

A Georges COURTELINE.

Je suis l'Empire à la fin de la décadence[8],
Qui regarde passer les grands Barbares blancs
En composant des acrostiches indolents[9]
D'un style d'or où la langueur du soleil danse.

5 L'âme seulette a mal au cœur d'un ennui dense.
Là-bas on dit qu'il est de longs combats[10] sanglants.
O n'y pouvoir, étant si faible aux vœux si lents,
O n'y vouloir fleurir un peu cette existence !

O n'y vouloir, ô n'y pouvoir mourir un peu !
10 Ah ! tout est bu ! Bathylle[11], as-tu fini de rire ?
Ah ! tout est bu, tout est mangé ! Plus rien à dire[12] !

Seul, un poème un peu niais qu'on jette au feu,
Seul, un esclave un peu coureur qui vous néglige,
Seul, un ennui[13] d'on ne sait quoi qui vous afflige !

A. Messein, éditeur.

1. Il n'a pas d'oreille pour percevoir la vraie musique du vers ; 2. Le mot évoque l'idée de clinquant. Cf. vers suivant ; 3. Noter la fluidité de la phrase : elle reste d'une sinuosité légère malgré la complication syntaxique ; 4. = l'heureuse trouvaille. Verlaine entend laisser son libre essor au sentiment ; 5. = Qui crispe ; 6. Noter la brusquerie du mouvement pour finir ; 7. Paru dans *le Chat noir* du 26 mai 1883 ; 8. Peut-être Verlaine donna-t-il ainsi involontairement aux jeunes poètes l'idée de prendre leur dénomination de *décadents ;* 9. Littérature « alexandrine », d'une période de civilisation raffinée ; 10. L'action, interdite à l'homme qui cultive son rêve ; 11. Pantomime du temps d'Auguste ; 12. L'époque décadente est blasée de tout, a épuisé tous les plaisirs ; 13. Sorte de mal du siècle, plus aigu que l'autre. Cf. la définition de « l'homme physique moderne » que donne Verlaine dans un article de *l'Art*, 16 novembre 1865, à propos de Baudelaire : « Je n'entends ici que l'homme physique moderne, tel que l'ont fait les raffinements d'une civilisation excessive, l'homme moderne, avec ses sens aiguisés et vibrants, son esprit douloureusement subtil, son cerveau saturé de tabac, son sang brûlé d'alcool, le *bilio-nerveux* par excellence, comme dirait H. Taine. »

AMOUR

A V. HUGO
en lui envoyant « SAGESSE »[1].

Nul parmi vos flatteurs d'aujourd'hui n'a connu
Mieux que moi la fierté d'admirer votre gloire :
Votre nom m'enivrait comme un nom de victoire,
Votre œuvre, je l'aimais d'un amour ingénu[2].

5 Depuis, la Vérité m'a mis le monde à nu.
J'aime Dieu, son Église, et ma vie est de croire
Tout ce que vous tenez, hélas! pour dérisoire[3],
Et j'abhorre en vos vers le Serpent[4] reconnu.

J'ai changé. Comme vous. Mais d'une autre manière.
10 Tout petit que je suis j'avais aussi le droit
D'une évolution, la bonne, la dernière.

Or, je sais la louange, ô maître, que vous doit
L'enthousiasme ancien; la voici franche, pleine,
Car vous me fûtes doux en des heures de peine[5].

(1881)

A. Messein, éditeur.

PARALLÈLEMENT

ALLÉGORIE[6]

Un très vieux temple antique s'écroulant
Sur le sommet indécis d'un mont jaune,
Ainsi qu'un roi déchu pleurant son trône,
Se mire, pâle, au tain d'un fleuve lent.

---

1. Daté de 1880; **2.** C'est à V. Hugo que Verlaine envoya, en effet, ses premiers vers; **3.** Le V. Hugo de *la Légende des siècles*, des *Quatre vents de l'Esprit* et des derniers recueils se fait le prêtre d'une religion en dehors de tout dogme; **4.** Le péché originel; **5.** Allusion à l'attitude de Hugo au moment du procès en séparation et de la condamnation de Bruxelles. Verlaine renia dans ses dernières années Hugo et Baudelaire; **6.** Paru dans *le Hanneton* (3 octobre 1867).

5   Grâce endormie et regard sommolent,
    Une naïade âgée, auprès d'un aulne,
    Avec un brin de saule agace un faune
    Qui lui sourit, bucolique[1] et galant.

    Sujet naïf et fade qui m'attristes,
10 Dis, quel poète entre tous les artistes,
    Quel ouvrier morose t'opéra[2],

    Tapisserie usée et surannée,
    Banale comme un décor d'opéra,
    Factice[3], hélas! comme ma destinée?

A LA MANIÈRE DE PAUL VERLAINE

    C'est à cause du clair de lune
    Que j'assume[4] ce masque nocturne
    Et de Saturne[5] penchant son urne
    Et de ces lunes l'une après l'une.

5   Des romances sans paroles ont,
    D'un accord discord ensemble et frais,
    Agacé ce cœur fadasse[6] exprès;
    O le son, le frisson qu'elles ont!

    Il n'est pas que vous n'ayez fait grâce
10 A quelqu'un qui vous jetait l'offense[7] :
    Or, moi, je pardonne à mon enfance
    Revenant fardée et non sans grâce.

    Je pardonne à ce mensonge-là[8]
    En faveur, en somme, du plaisir
    Très banal drôlement qu'un loisir
    Douloureux un peu m'inocula.

A. Messein, éditeur.

1. Avec le maniérisme, faussement champêtre, des bergers de Théocrite et de Virgile;
2. T'ouvra, te fit; 3. Depuis la rupture avec Mathilde, en effet; 4. = je prends, avec la
nuance de « prendre un rôle »; 5. Allusion aux *Poèmes saturniens*; 6. Qui donne dans les
fadeurs sentimentales; 7. Ces vers semblent une allusion au désaccord avec Mathilde;
8. Exemple de la manière qui sera celle de Verlaine dans les recueils suivants : désarticulation
du vers, prosaïsmes, gaucherie voulue.

II. — LE SYMBOLISME
ET LES POÈTES SYMBOLISTES

INTRODUCTION

Le symbolisme a été bien plus une tendance, ou plutôt un ensemble de tendances, qu'une école proprement dite, groupée derrière un chef avec une doctrine explicitement professée. Le symbolisme naît vers 1885-1886, quand les jeunes se rallient autour de l'exemple et des œuvres de Verlaine, de Rimbaud, de Mallarmé et de Laforgue, dont aucun n'est proprement un chef d'école. Le groupement se réclame aussi de la musique de Wagner (*la Revue wagnérienne* est fondée en 1885), de Barbey d'Aurevilly et de Villiers de l'Isle-Adam, de certains peintres enfin : Puvis de Chavannes, Carrière, les préraphaélites et, en particulier, Rossetti et Burne-Jones. Le porte-étendard du symbolisme, c'est Moréas qui lance son manifeste dans le supplément littéraire du *Figaro* du 18 septembre 1886. Cette même année assiste au lancement de plusieurs revues acquises à l'esthétique nouvelle : *le Décadent*, dirigé par Baju, où s'affirme l'esprit « décadent » qui, vers 1882, précéda le symbolisme, avec son goût de la révolte, de l'anarchie et du néologisme; *la Vogue*, dirigée par Gustave Kahn, *le Symboliste*, par G. Kahn et J. Moréas; et, un peu après, en 1889, ce sont la deuxième *Vogue*, de G. Kahn encore, *la Plume*, *le Mercure de France*, fondé par A. Vallette. Mais l'école a la vie très courte, puisque dans sa Préface du *Pèlerin passionné* d'abord, puis dans un article du *Figaro* (14 septembre 1891), le même Moréas rédige le manifeste d'une école nouvelle : l'école romane.

Le précurseur était Baudelaire, qui avait découvert les mystérieuses « correspondances » qui existent entre nos sensations d'abord, puis entre nos sensations et le monde spirituel, celles-là étant l'image de celui-ci, de sorte que le monde réel et sensible, dans sa « ténébreuse et profonde unité », nous est révélé par nos sensations qui en sont le symbole. Le mouvement était né d'une réaction contre la grossièreté et le déterminisme desséchant du naturalisme, contre la littérature positiviste qui, bannissant le rêve et le mystère, aboutissait dans le roman à des œuvres d'une impitoyable âpreté, en poésie aux nobles et froides constructions parnassiennes. A cette emprise de la science, les « décadents », puis les symbolistes opposèrent l'Inconscient et l'Inconnaissable. Après le romantisme qui fut effusion orchestrée de sentiments personnels et apostolat social, après le Parnasse qui fut plasticité, le symbolisme est avant tout suggestion de la vie intérieure dans ce qu'elle a de plus intime : ce n'est ni aux idées, ni aux sentiments que s'attache le poète, ni même aux paysages, mais aux résonances qu'ils ont en lui. Le monde extérieur, les objets qui nous entourent sont les signes d'une réalité plus profonde et le poète est celui qui sait déchiffrer ces signes, percevoir les plus secrètes analogies. Aussi la poésie est-elle plus qu'un art : plus vraie que la science, elle est le plus sûr moyen de connaissance.

La manière même dont ce déchiffrage est fait par chacun nous renseigne mieux que n'importe quelle explicite confession sur cette vie souterraine qui est notre véritable moi : région difficile à explorer, que la poésie a pour mission d'exprimer, sans trop l'éclairer; le grand jour ne parvient pas jusqu'à ces zones lointaines, jusqu'à la « ténébreuse et profonde unité » de chaque individu, pour reprendre l'expression de Baudelaire.

Dès lors, le poète ne décrira pas : il évitera la représentation des objets en dessins accusés; il aura recours à la suggestion qui ne dit pas tout, qui se garde de présenter l'objet au lecteur, mais le lui fait construire : à ce dernier de reparcourir les étapes de la genèse opérée par le poète, de collaborer au travail poétique : « C'est le parfait usage de ce mystère, nous confie Mallarmé, qui constitue le symbole : évoquer petit à petit un objet pour montrer un état d'âme, ou inversement choisir un objet et en dégager un état d'âme » (Réponse à *l'Enquête de J. Huret sur l'évolution littéraire*, 1891).

Le symbole n'est plus ici ce qu'il était chez les romantiques et les parnassiens : une comparaison plus ou moins développée, un ornement décoratif, le commentaire imagé d'un sentiment plus ou moins commun. Il est une véritable transposition, une « comparaison prolongée dont on ne nous donne que le second terme, un système de métaphores suivies » (J. Lemaître). Signe apparent d'un monde complexe et voilé, il le suggère par transparence et chaque objet, à la fois implicite et signifié, est le terme d'une vaste équation dont tous les termes se résorbent dans la « ténébreuse et profonde unité ». Plus de lien désormais pour guider le lecteur, créateur autant que le poète, en ce sens qu'il peut, suivant sa nature et son humeur, ajouter ou retrancher à ce que lui propose le poète.

L'usage du symbole, signe à la fois d'un monde invisible — le monde platonicien des Idées — et d'un monde intérieur, aura pour conséquence certaine obscurité, nécessaire aux yeux de quelques symbolistes, mais l'obscurité est la rançon d'un art qui cherche à traduire l'essence des choses par des moyens nouveaux.

Cette obscurité — ou cette obscure clarté — est celle de la musique, langage universel, chargé de suggestions et non de significations littérales, où chacun retrouve ce qu'il apporte, enrichi d'harmoniques et de résonances. C'est bien de la musique, en effet, que les symbolistes, à la suite de Baudelaire, de Verlaine et de Rimbaud, ont prétendu rapprocher la poésie, en renonçant à la forme oratoire. On attachera une grande importance à l'harmonie du vers, au chatoiement sonore des mots, aux allitérations et aux assonances, à toute la « sorcellerie évocatoire » pratiquée déjà par Baudelaire, et on choisira les mots non plus pour leur contenu intellectuel, mais pour leur sonorité évocatrice, pour leur puissance musicale de suggestion (les recettes en ont été données par René Ghil et son école « évolutive harmonique »), et on dépassera parfois les bornes pour réaliser trop exclusivement des combinaisons sonores, sans tenir compte de la suggestion psychologique des mots : la véritable harmonie n'est pas une harmonie matérielle (comme celle du *Nocturne*, trop souvent cité, de Stuart Merrill), c'est une musique intérieure et qui pénètre dans la sensibilité du lecteur.

Ensuite, pour augmenter le pouvoir musical du vers, les symbolistes ont parachevé les réformes timides encore du romantisme : non contents du vers « déniaisé » de V. Hugo, qui fut celui de Baudelaire et des parnassiens, ils ont assoupli, disloqué la métrique traditionnelle, à la suite de Verlaine qui donne au vers « libéré » une fluidité, un déhanchement jusqu'alors inconnus. On a abouti ainsi au vers libre, déjà découvert par Rimbaud quelque douze ans auparavant dans *les Illuminations* et *Une Saison en enfer :* les uns, à la suite de Laforgue qui incarne plutôt l'esprit décadent, pour exprimer leur pensée sans la déformer ; les autres, guidés par G. Kahn, par préoccupations musicales pures. En fin de compte, chaque poète créera son rythme, et c'est du symbolisme que procèdent la strophe rythmée de P. Fort, le vers assonancé, le vers libéré de J. Romains et le verset claudélien.

En définitive, le symbolisme, qui se présente comme une réaction contre le romantisme et le Parnasse, se rattache par plus d'un côté aux traditions poétiques du siècle : comme celui du Parnasse, et davantage encore, cet art est raffiné, il se tient soigneusement hors des contingences, hors de l'action sociale et de la politique; le poète continue à être l'homme de la tour d'ivoire qui s'isole de l'actualité pour écouter sa vie. Mais aussi, prolongeant le mouvement inauguré par le romantisme, le symbolisme constitue en poésie une des pointes extrêmes du subjectivisme, et ceci jusqu'aux limites de l'intelligible.

Certes, l'école, nous l'avons dit, n'a pas eu la vie longue. Depuis le manifeste de l'école romane et dès avant 1900, d'autres tendances se font jour, de nouvelles écoles se succèdent à un rythme déconcertant : *naturisme* de Saint-Georges de Bouhélier, qui professe la vie élémentaire et éblouie, rompant avec les subtilités symbolistes (manifeste du *Figaro*, 10 janvier 1897), *intégralisme* de Lacuzon, *unanimisme* de Jules Romains, chantre de la vie collective, *humanisme* de Fernand Gregh, *modernisme* de Guillaume Apollinaire, et plus près de nous, *dadaïsme* de Cocteau, *surréalisme* d'André Breton. Ceux même qui n'ont pas rompu véritablement avec le symbolisme, ni inventé d'école, ne sont pas prisonniers de lui : ils reviennent souvent aux formes traditionnelles, à la métrique régulière, comme Verhaeren, H. de Régnier, Charles Guérin, Francis Jammes, ou même ne s'en sont jamais écartés : Samain, comtesse de Noailles, Paul Valéry. Chacun de ces poètes est d'abord lui-même et le mot d'*école* n'a plus cours aujourd'hui.

Si le mouvement s'est perdu dans des initiatives individuelles, il n'en a pas moins créé une beauté nouvelle et cette volonté de saisir la poésie en son essence, pour lui faire traduire le moi et le monde en leur essence, fut une leçon recueillie par les poètes d'aujourd'hui.

BIBLIOGRAPHIE SOMMAIRE

Sur le mouvement symboliste :

A. M. SCHMIDT, *la Littérature symboliste* (Paris, P. U. F., 1947).
G. MICHAUD, *le Message du symbolisme* (Paris, 4 vol., Nizet, 1948).

Sur Rimbaud :

R. ETIEMBLE et Yassu GAUCLÈRE, *Rimbaud* (Paris, Gallimard, 1948).
H. DE BOUILLANE DE LACOSTE, *Rimbaud et le problème des « Illuminations »* (Paris, Mercure de France, 1949).

Sur Mallarmé :

A. THIBAUDET, *la Poésie de Stéphane Mallarmé* (Paris, Gallimard, 1913).
H. MONDOR, *Vie de Mallarmé* (Paris, Gallimard, 1941).

Sur Laforgue :

F. RUCHON, *Jules Laforgue, sa vie et son œuvre* (Genève, 1924).

RÉSUMÉ CHRONOLOGIQUE DE LA VIE D'A. RIMBAUD
(1854-1891)

1854. — Naissance, le 20 octobre, de Jean-Arthur Rimbaud, à Charleville; père officier d'une vivacité audacieuse; mère autoritaire et avare.

1854-1864. — Enfance à Charleville dans une atmosphère familiale assez triste, sous la perpétuelle surveillance de sa mère.

1864. — Études au Collège de Charleville, Rimbaud étonne et inquiète ses professeurs. Premières révoltes, longues promenades autour de la ville.

1869. — Premiers vers : *Etrennes des orphelins*. G. Izembard, son professeur de rhétorique, découvre l'exceptionnelle intelligence de son élève.

1870. — La guerre le retient à Charleville. Lectures, besoin de liberté, colère révolutionnaire. Fugue à Paris, puis en Belgique. *Le Buffet, Ma bohème, Tête de Faune*.

1871. — Nouvelles fugues à Paris en février et avril. *Les Voyelles;* fin septembre : *Bateau ivre*. Pour les années 1871-1875, cf. résumé chronologique de Verlaine.

1872. — *Les Chercheuses de poux, les Corbeaux*, etc.

1873. — Après l'arrestation de Verlaine, écrit à Roche *Une saison en enfer*, publiée en octobre; brûle presque tout le tirage.

1874. — Séjour d'un an à Londres, où il est professeur de français.

1875. — Voyage à Milan. Débardeur à Marseille. Hiver à Charleville.

1876. — Fugue à Vienne et en Allemagne.

1877. — Enrôlé dans l'armée hollandaise, part pour Java, déserte à Batavia, retour par le Cap, Liverpool. Puis Hambourg, Copenhague, Stockholm.

1878. — Veut s'embarquer pour Alexandrie; malade à Marseille; visite Rome. Retour à Charleville d'où il descend à pied jusqu'à Gênes. S'embarque pour Alexandrie (novembre); chef de carrières à Chypre.

1879. — Retour à Roche; typhoïde.

1880. — De nouveau à Chypre. Agent de la maison Bardey à Aden (commerce des cafés), qui l'envoie au Harrar.

1882-1884. — Séjours alternés à Aden et au Harrar.

1885-1887. — Caravanes pour le Choa. Vend des fusils à Ménélik.

1886. — *Les Illuminations*, écrites en 1871-1873, publiées par Verlaine.

1887-1890. — S'établit à son compte au Harrar : commerce d'ivoire, café, musc, poudre d'or, soieries, etc.

1891. — Retour à Marseille, bref séjour à Roche, meurt à Marseille le 10 novembre à l'hôpital de la Conception.

1895. — *Poésies complètes*, publiées par Verlaine.

Rimbaud avait dix ans de moins que Verlaine, un an de plus que Verhaeren, quatre de plus que Samain, six de plus que Laforgue, dix de plus qu'H. de Régnier.

A. RIMBAUD

NOTICE

(*Pour les* SYNCHRONISMES, *voir la Notice de* Jadis et Naguère, *page* 35.)

Le poète. — Rimbaud a eu de tout autres ambitions que Verlaine. A dix-neuf ans il a donné toute son œuvre et aucune, sauf peut-être celle de Mallarmé, n'a exercé sur les générations suivantes une si profonde influence. Si on laisse de côté ses tout premiers poèmes, encore marqués de l'esthétique parnassienne dont il se dégagea presque tout de suite, une étrange personnalité s'affirme de bonne heure dans ses vers : il est un puissant et intarissable créateur d'images, de ces images toutes neuves, inattendues, qui jaillissent parfois avec incohérence. De bonne heure aussi se manifeste son esprit de révolte, de négation, de non-conformisme absolu, irrité par toutes les contraintes de l'ordre établi. Abandonnant les routines et les traditions, il part à la découverte d'un monde nouveau, il déclare que le poète est un « voyant » et que par un « long, immense et raisonné dérèglement de tous les sens », il doit se mettre en contact avec le réel authentique. Lui-même sera vraiment, surtout dans ses *Illuminations*, le *poète* au sens étymologique du mot, le fabricateur d'un monde supra-sensible, le démiurge qui fait surgir des visions parfois sans lien entre elles, mais révélatrices d'un univers dont le nôtre ne serait que le reflet. Et pour prendre possession de ce monde mystérieux qui échappe aux lois de la logique enfantine des savants, notre poète s'entraîne à l'hallucination, il nous l'a confié dans *Une saison en enfer*, sorte d'autobiographie morale. Il rêve, pour le traduire, d'un « verbe accessible à tous les sens, qui serait de l'âme pour l'âme, résumant tout, parfums, couleurs, sons, de la pensée accrochant la pensée et la tirant ».

Et voici que brusquement, après avoir revécu en quatre ans pour son compte toutes les étapes de l'évolution littéraire, Rimbaud, qui a écrit « des silences » garde à tout jamais le silence; parce qu'il est impuissant à réaliser cet art exigeant qu'il poursuit et qu'ayant trop tôt épuisé les possibilités d'expression, l'aventurier des lettres va devenir l'aventurier des terres africaines? ou parce que, touché par une sorte de grâce (s'il est vrai que les dernières pages d'*Une saison en enfer* soient celles d'un converti) il fuit la vieille Europe pour mener une vie obscure et laborieuse de commerçant en cafés? Sa confession reste énigmatique; il disparaît en tout cas, insoucieux de sa gloire naissante et de sa postérité littéraire.

TÊTE DE FAUNE[1]

Dans la feuillée, écrin vert taché d'or,
Dans la feuillée incertaine[2] et fleurie
De splendides fleurs où le baiser dort[3],
Vif et crevant l'exquise broderie[4],

5 Un faune effaré montre ses deux yeux
Et mord les fleurs rouges de ses dents blanches :
Brunie et sanglante ainsi qu'un vin vieux,
Sa lèvre éclate en rires sous les branches.

Et quand il a fui — tel qu'un écureuil —,
10 Son rire tremble encore à chaque feuille,
Et l'on voit épeuré par un bouvreuil
Le Baiser d'or du Bois[5], qui se recueille.

(Édit. du *Mercure de France*.)

MA BOHÈME[6]

Je m'en allais, les poings dans mes poches crevées.
Mon paletot aussi devenait idéal[7].
J'allais sous le ciel, Muse, et j'étais ton féal[8] :
Oh là là, que d'amours splendides j'ai rêvées !

5 Mon unique culotte avait un large trou.
Petit-Poucet rêveur, j'égrenais dans ma course
Des rimes[9]. Mon auberge était à la Grande-Ourse[10].
Mes étoiles au ciel avaient un doux frou-frou[11].

Et je les écoutais, assis au bord des routes,
10 Les bons soirs de septembre où je sentais des gouttes
De rosée à mon front, comme un vin de vigueur ;

Où, rimant au milieu des ombres fantastiques,
Comme des lyres[12], je tirais les élastiques
De mes souliers blessés, un pied contre mon cœur !

1. La pièce est de 1869 ; **2.** Où tous les tons se brouillent ; **3.** Feuillages et floraisons dans leur immobilité, ont l'air d'être endormis ; **4.** L'image rend le découpage varié et délicat des feuilles ; **5.** Le feuillage éclairé par le soleil (*Baiser d'or*), frissonne, comme de peur, de la fuite du faune et du bouvreuil ; **6.** La pièce est de 1870 ; c'est l'année de ses fugues à Paris et en Belgique. Le vagabondage qu'il décrit dans ces vers est effectivement celui qu'il a pratiqué sur les routes ; **7.** Irréel, à force d'usure ; **8.** Terme médiéval : *fidèle* ; **9.** Au lieu des cailloux égrenés sur son chemin par le Petit Poucet ; **10.** Il mangeait et couchait en pleins champs, à la belle étoile ; **11.** Image familière qui rappelle « l'harmonie des sphères ». Cf. Valéry, *Variété I, A propos de Pascal* ; **12.** = Comme des *cordes* de lyre.

BATEAU IVRE[1]

Comme je[2] descendais des Fleuves impassibles[3],
Je ne me sentis plus guidé par les haleurs[4] :
Des Peaux-Rouges criards les avaient pris pour cibles,
Les ayant cloués nus aux poteaux de couleurs.

5 J'étais insoucieux[5] de tous les équipages,
Porteur de blés flamands ou de coton anglais
Quand avec mes haleurs ont fini ces tapages[6],
Les Fleuves m'ont laissé descendre où je voulais.

Dans les clapotements furieux des marées,
10 Moi, l'autre hiver, plus sourd que les cerveaux[7] d'enfants,
Je courus ! et les Péninsules démarrées[8]
N'ont pas subi tohu-bohus plus triomphants.

La tempête a béni mes éveils maritimes,
Plus léger qu'un bouchon j'ai dansé sur les flots
15 Qu'on appelle rouleurs éternels de victimes[9],
Dix nuits, sans regretter l'œil niais des falots[10].

Plus douce qu'aux enfants la chair des pommes sures,
L'eau verte pénétra ma coque de sapin
Et des taches de vins bleus et des vomissures[11]
20 Me lava, dispersant gouvernail et grappin.

Et dès lors, je me suis baigné dans le poème
De la mer, infusé[12] d'astres et latescent[13],
Dévorant les azurs verts où, flottaison blême
Et ravie, un noyé pensif parfois descend,

25 Où, teignant tout à coup les bleuités, délires
Et rythmes lents sous les rutilements du jour,
Plus fortes que l'alcool, plus vastes que vos lyres,
Fermentent les rousseurs amères de l'amour[14] !

---

1. C'est la pièce la plus importante de Rimbaud. Ce bateau ivre, poussé à travers les paysages les plus étranges est bien le symbole de la destinée du poète qui, après avoir épuisé toutes les possibilités de la poésie et de l'aventure, s'achemine à la mort ; **2.** Le bateau parle ; **3.** Par opposition avec les marées déchaînées qui le ballotteront à partir du vers 9 ; **4.** Il s'agit d'un chaland ; **5.** Indifférent aux cargaisons et aux passagers de toutes nations que je portais ; **6.** Les discussions des matelots ; **7.** D'une expérience fruste encore, comme celle des enfants : ce voyage va lui faire connaître et goûter toutes sortes d'impressions, l'éveiller aux beautés de la mer (cf. v. 13) ; **8.** Qui se détachent brutalement des continents ; **9.** Cf. V. Hugo : « *Oceano Nox* » ; **10.** Feux des quais dans les ports ; **11.** La malpropreté de l'équipage symbolise la laideur et la trivialité de la vie sociale (cf. *guidé*, v. 2) ; **12.** Opposition à *je* ; **13.** D'un brillant laiteux ; **14.** La mer, éclairée et éclatante, est un brassin générateur.

Je sais les cieux crevant en éclairs, et les trombes,
30 Et les ressacs, et les courants; je sais le soir,
L'aube exaltée[1] ainsi qu'un peuple de colombes,
Et j'ai vu quelquefois ce que l'homme a cru voir[2].

J'ai vu le soleil bas taché d'horreurs mystiques[3],
Illuminant de longs figements[4] violets,
35 Pareils[5] à des acteurs de drames très antiques
Les flots roulant au loin leurs frissons de volets[6].

J'ai rêvé la nuit verte aux neiges éblouies,
Baisers[7] montant aux yeux des mers avec lenteur
La circulation des sèves inouïes,
40 Et l'éveil jaune et bleu des phosphores chanteurs[8].

J'ai suivi des mois pleins, pareille aux vacheries[9]
Hystériques, la houle à l'assaut des récifs,
Sans songer que les pieds lumineux des Maries
Pussent forcer le mufle aux Océans poussifs.

45 J'ai heurté, savez-vous! d'incroyables Florides[10]
Mêlant aux fleurs des yeux de panthères à peaux
D'hommes, des arcs-en-ciel[11] tendus comme des brides,
Sous l'horizon des mers, à[12] de glauques troupeaux.

50 J'ai vu fermenter les marais, énormes masses
Où pourrit dans les joncs tout un Léviathan[13];
Des écroulements d'eaux au milieu des bonaces[14],
Et les lointains vers les gouffres cataractant.

Glaciers, soleils d'argent, flots nacreux, cieux de braises!
55 Échouages hideux au fond des golfes bruns
Où les serpents géants dévorés des punaises
Choient des arbres tordus avec de noirs[15] parfums.

---

1. Qui s'élève; **2.** « Ce que les hommes ne voient qu'en hallucination ou en rêve, je l'ai vu réellement. » Rimbaud déclare que le poète est un voyant; **3.** Qui emplissent de terreur religieuse; **4.** Cf. Baudelaire, *Harmonie du soir* : « *Le soleil s'est noyé dans son sang qui se fige* »; **5.** Se rapporte à *flots* : dans cette première vision, les flots deviennent des êtres vivants; **6.** Les lames de la mer, claires et sombres, ondulent comme les rayures de soleil et d'ombre découpées sur le plancher par les volets d'une pièce close; **7.** Apposition à *nuit* : la froideur de la nuit touche comme de frais baisers les masses d'eau scintillantes (*yeux* de la mer); **8.** Transposition : passant de la vue à l'ouïe, Rimbaud assimile les vibrations phosphorescentes de la mer aux vibrations d'un son; **9.** En argot : mauvais tour; ici : déchaînement; la mer est vue comme un troupeau et alors le terme est en rapport avec le mot *mufle* (v. 44). **10.** Pays fabuleux et luxuriants (cf. v. 46, *fleurs*); **11.** Deuxième complément de *mêlant*; **12.** Dépend de *brides*; vision grandiose : les arcs-en-ciel tiennent en laisse les vagues de la mer (*troupeau*); **13.** Monstre dont il est parlé dans la *Bible*, au *Livre de Job*. — *Id.* pour *Béhémot* (v. 82); **14.** Calme de la mer; **15.** Autre transposition.

J'aurais voulu montrer aux enfants ces dorades[1]
Du flot bleu, ces poissons d'or, ces poissons chantants.
Des écumes de fleurs ont béni mes dérades[2]
60 Et d'ineffables vents m'ont ailé par instants.

Parfois, martyr lassé des pôles et des zones,
La mer dont le sanglot faisait mon roulis doux
Montait vers moi ses fleurs[3] d'ombre aux ventouses jaunes;
Et je restais ainsi qu'une femme à genoux,

65 Presqu'île[4] ballottant sur mes bords les querelles
Et les fientes d'oiseaux clabaudeurs[5] aux yeux blonds;
Et je voguais, lorsqu'à travers mes liens frêles
Des noyés descendaient dormir à reculons.

Or moi, bateau perdu[6] sous les cheveux des anses,
70 Jeté par l'ouragan dans l'éther sans oiseau[7],
Moi dont les Monitors[8] et les voiliers des Hanses[9]
N'auraient pas repêché la carcasse ivre d'eau[10],

Libre, fumant, monté[11] de brumes violettes,
Moi qui trouais le ciel[12] rougeoyant comme un mur,
75 Qui porte, confiture[13] exquise aux bons poètes,
Des lichens de soleil et des morves d'azur[14],

Qui courais taché de lunules[15] électriques,
Planche folle, escorté des hippocampes[16] noirs,
Quand les Juillets faisaient crouler à coups de triques[17]
80 Les cieux ultramarins[18] aux ardents entonnoirs[19],

Moi qui tremblais, sentant geindre à cinquante lieues
Le rut des Béhémots et des Maelstroms épais,
Fileur[20] éternel des immobilités bleues,
Je regrette l'Europe aux anciens parapets[21].

1. Poissons des mers chaudes; 2. Départ hors d'une rade sous l'action des vents; 3. La crête découpée des vagues et les tourbillons en entonnoirs (*ventouses*) sont la floraison des mers; 4. C'est une île, mais mobile; 5. Qui criaillent; 6. Jadis perdu; 7. La mer, infinie comme le ciel; 8. Petits bâtiments de guerre; 9. *Hanse* : ligue commerciale des ports de la Baltique et de la mer du Nord aux XIIe-XIVe siècles; 10. Faisant eau de toute part; 11. Ayant pour seuls passagers; 12. En se détachant sur le ciel, le navire a l'air de lui faire une déchirure; 13. Régal; 14. La patine bleutée, jaunâtre et visqueuse de la coque; 15. Lueurs rondes dont s'éclaire le navire par une nuit étoilée; 16. Monstres marins, mi-chevaux, mi-poissons; 17. La chaleur qui assomme fait l'effet d'un coup de bâton; 18. Bleus d'outremer; 19. Les cirques liquides formés par la mer; 20. Dévidant l'écheveau des flots; 21. Désigne la vie civilisée et banale, avec ses barrières qui emprisonnent le génie et l'esprit d'aventure.

85 J'ai vu des archipels sidéraux[1], et des îles
   Dont les cieux délirants sont ouverts au vogueur[2] :
   Est-ce en ces nuits sans fond que tu dors et t'exiles,
   Million d'oiseaux d'or, ô future Vigueur[3] ?

   Mais, vrai, j'ai trop pleuré. Les aubes sont navrantes.
90 Toute lune est atroce et tout soleil amer.
   L'âcre amour m'a gonflé de torpeurs enivrantes.
   Oh, que ma quille éclate ! oh ! que j'aille à[4] la mer !

   Si je désire une eau d'Europe, c'est la flache[5]
   Noire et froide où, vers le crépuscule embaumé,
95 Un enfant accroupi, plein de tristesse, lâche
   Un bateau frêle comme un papillon de mai.

   Je ne puis plus, baigné[6] de vos langueurs, ô lames,
   Enlever leur sillage[7] aux porteurs de cotons,
   Ni traverser l'orgueil des drapeaux et des flammes,
100 Ni nager sous les yeux horribles des pontons[8] !

                            (Édit. du *Mercure de France*.)

VOYELLES[9]

   A noir, E blanc, I rouge, U vert, O bleu, voyelles,
   Je dirai quelque jour vos naissances latentes.
   A, noir corset velu des mouches éclatantes[10]
   Qui bombillent[11] autour des puanteurs cruelles[12],

5 Golfes d'ombres ; E, candeur[13] des vapeurs et des tentes,
   Lance des glaciers fiers, rois[14] blancs, frissons d'ombelles ;

---

1. Constellations ; 2. Le poète-aventurier ; 3. La force qui créera un monde neuf, hospitalier aux rêves poétiques ; elle est comparée à un envol myriadaire d'oiseaux ; 4. Dans les profondeurs de la mer ; 5. Flaque d'eau, mare ; la strophe tout entière contraste dans les idées et dans les termes avec les précédentes ; 6. Depuis que j'ai été baigné ; 7. Effacer leur sillage, en naviguant derrière eux : rentrer dans les chemins rebattus ; 8. Ce serait une humiliation que de voguer parmi des bâtiments de guerre parés ou parmi les hublots (*yeux*) des vieux navires amarrés dans les ports (*pontons*). Le poète, ivre d'impressions et de spectacles, ne peut se résoudre à reprendre une vie terne et préfère la mort (v. 92) à cette déchéance ; 9. Nous donnons le texte de ce sonnet, tel qu'il fut publié par Verlaine pour la première fois, en 1883. Un manuscrit de la collection Barthou présente plusieurs variantes, qui sont signalées ici dans les notes. — On a supposé que ce sonnet a été inspiré à Rimbaud par le souvenir d'un alphabet pour enfants, où les lettres, diversement coloriées, étaient accompagnées de dessins ; 10. Par le son et par la couleur. 11. Ce mot est créé par Rimbaud et rend le bourdonnement des mouches. Var. *bombinent* ; 12. Cf. Baudelaire, *Fleurs du mal* ; « *Une charogne* » ; 13. Var. : *frissons* ; 14. Var. : *rais*.

I, pourprès[1], sang craché, rire des lèvres belles
Dans la colère ou les ivresses pénitentes ;

U, cycles, vibrements divins des mers virides[2],
10 Paix des pâtis[3] semés d'animaux, paix des rides
Que l'alchimie imprime aux grands fronts studieux[4] ;

O, suprême clairon plein de strideurs[5] étranges,
Silences traversés des Mondes et des Anges ;
— O l'Oméga[6], rayon violet de Ses yeux.

(Édit. du *Mercure de France*.)

---

1. Var. : *pourpre* ; **2.** « Vertes » (lat. *viridis*) ; **3.** Lande où l'on met paître les bestiaux ;
4. Var. : *Qu'imprima l'alchimie aux doux fronts* studieux ; **5.** Encore un mot forgé par le poète
= cris stridents ; les symbolistes aimeront ces abstraits formés sur les adjectifs ; **6.** *O* long
de l'alphabet grec.

RÉSUMÉ CHRONOLOGIQUE DE LA VIE DE ST. MALLARMÉ

(1842-1898)

1842. — Naissance à Paris, le 18 mars. Famille de fonctionnaires de l'enregistrement. — Élevé dans un riche pensionnat d'Auteuil. Premières intentions littéraires : remplacer le chansonnier Béranger !

1857. — Termine ses études au lycée de Sens. Lit Baudelaire et Poe.

1862. — Mariage. Séjour en Angleterre pour apprendre l'anglais.

1863. — Professeur d'anglais à Tournon. Connaît Mistral, Aubanel, Roumanille et participe au mouvement du Félibrige. Collabore, vers ou prose, à de nombreuses revues. Professeur scrupuleux, mais grande vie méditative.

1866. — Collabore au *Parnasse contemporain*. Nommé à Besançon.

1867. — Nommé à Avignon.

1872. — Nommé au lycée Fontanes (aujourd'hui Condorcet).

1874. — Rédige la *Dernière mode*.

1876. — *L'Après-midi d'un Faune*, écrit à la demande de Th. de Banville. Avec Manet et Verlaine, fréquente les dîners de V. Hugo, qui l'appelle « son cher poète impressionniste ».

1884. — J.-K. Huysmans met son éloge dans la bouche de Jean des Esseintes, héros du roman *A rebours*, qui révèle le poète au public. — Mardis de la rue de Rome où il réunit dans son modeste appartement tous les jeunes poètes : G. Kahn, Laforgue, Stuart Merrill, H. de Régnier, Vielé-Griffin, puis P. Louÿs, P. Claudel, A. Gide, P. Valéry. — Ces réunions continuent jusqu'à la fin de sa vie, ou presque.

1887. — Première édition des *Poésies complètes*.

1888. — Traduction des *Poèmes d'Edgar Poe*.

1891. — *Pages*, poèmes en prose.

1893. — *Vers et Prose*, « florilège ou très modeste anthologie de ses écrits ».

1894. — Prend sa retraite dans sa petite maison de Valvins, hameau de la commune de Vulaines-sur-Seine, près de Fontainebleau, au bord de la Seine.

1897. — *Divagations*, études diverses, en prose, et *Un coup de dés jamais n'abolira le hasard*, dans la revue *Cosmopolis*.

1898. — Meurt à Vulaines le 9 septembre d'une affection du larynx.

1899. — Édition des *Poésies complètes*.

1914. — Publication posthume du poème *Un coup de dés...*

1920. — *Madrigaux, Vers de circonstance*, publications posthumes.

Mallarmé, du même âge que J.-M. de Heredia et que F. Coppée, avait deux ans de plus que Verlaine, douze ans de plus que Rimbaud, treize de plus que Verhaeren, seize de plus que Samain, dix-huit de plus que Laforgue, vingt-deux de plus qu'H. de Régnier.

STÉPHANE MALLARMÉ

NOTICE

Le symbolisme de Mallarmé. — Si Verlaine est l'initiateur de ce qu'on pourrait appeler le symbolisme spontané, Mallarmé l'est d'un symbolisme cérébral et constructif. Ses débuts ont été fortement marqués par le Parnasse et par Baudelaire et il restera jusqu'au bout un pur parnassien, un scrupuleux artiste. Parnassiens, en effet, son isolement serein, le caractère de son œuvre aussi dégagée que possible des contingences de l'actuel, son souci douloureux de perfection, et enfin, cette hantise de l'Œuvre qui ne serait plus un accident dû à une circonstance, ni une atteinte à la logique pure. Au reste, son thème essentiel, et presque unique, est celui de la création artistique et de l'impuissance : impuissance de l'âme à atteindre son idéal, surtout impuissance littéraire du poète en lutte avec la page blanche.

Mais ce parnassien est en même temps le plus symboliste des symbolistes. Il a été possédé par le «démon de l'analogie», et ce que nous avons dit plus haut du symbole qui établit des rapports entre le visible et l'invisible s'applique tout spécialement à lui. Si la poésie de Mallarmé est souvent sibylline, c'est que le poète s'est proposé une tâche inouïe : partir de la sensation, la restituer à force d'art dans toute sa fraîcheur première (Hugo l'appelait à juste titre « mon cher poète impressionniste ») et permettre d'accéder par ces sons, ces parfums, ces couleurs, et la pulpe des mots, jusqu'à l'idée pure des choses, ne pas appauvrir le poème par une signification unique, mais lui laisser un rayonnement de sens divers qui se combinent et s'enrichissent l'un par l'autre, telle a été la conception et souvent la réussite de sa poésie. On comprend qu'elle demande une longue initiation. Mallarmé entend « redonner un sens plus pur aux mots de la tribu », et faire une nette différence entre la parole «immédiate», qui sert aux échanges communs et la parole «essentielle», qui réveille en nous tout ce qui s'y trouve en puissance et qui tient compte non seulement du sens, mais de la valeur sonore des mots. Le poème opère, plus encore que chez Baudelaire, à la manière d'une incantation. Dans sa syntaxe, les mots ont entre eux si peu de rapports visibles qu'on les dirait juxtaposés : ils ont une vie en eux-mêmes, sans cesser d'appartenir à une contexture organique, et le vrai mot, c'est finalement le vers, qui, nous dit Mallarmé, « de plusieurs vocables refait un mot total, neuf, étranger à la langue et comme incantatoire ».

APPARITION[1]

La lune s'attristait. Des séraphins[2] en pleurs
Rêvant l'archet aux doigts, dans le calme des fleurs
Vaporeuses, tiraient de mourantes violes
De blancs sanglots glissant sur l'azur des corolles.
5 C'était le jour béni de ton premier baiser.
Ma songerie, aimant à me martyriser,
S'enivrait savamment du parfum de tristesse
Que même sans regret et sans déboire laisse
La cueillaison d'un rêve au cœur qui l'a cueilli.
10 J'errais donc, l'œil rivé sur le pavé vieilli,
Quand, avec du soleil aux cheveux, dans la rue
Et dans le soir, tu m'es en riant apparue,
Et j'ai cru voir la fée au chapeau de clarté
Qui jadis sur mes beaux sommeils d'enfant gâté
15 Passait, laissant toujours de ses mains mal fermées
Neiger de blancs bouquets d'étoiles parfumées.

(*Poésies complètes*.
Édit. de la *Nouvelle Revue française*.)

L'AZUR[3]

De l'éternel azur[4] la sereine ironie[5]
Accable, belle indolemment comme les fleurs,
Le poète impuissant qui maudit son génie
A travers un désert stérile de Douleurs.

5 Fuyant, les yeux fermés, je le sens qui regarde
Avec l'intensité d'un remords[6] atterrant
Mon âme vide. Où fuir ? Et quelle nuit hagarde
Jeter, lambeaux[7], jeter sur ce mépris navrant ?

Brouillards, montez ! versez vos cendres monotones
10 Avec de longs haillons de brume dans les cieux
Qui noiera le marais livide des automnes[8]
Et bâtissez un grand plafond silencieux !

---

1. Publié dans *l'Artiste*, puis dans *le Parnasse contemporain* ; 2. Les anges musiciens des primitifs italiens et des préraphaélites anglais ; 3. Publié dans *le Parnasse contemporain* en 1866. Le sujet de la pièce, c'est le drame de la création poétique, des affres du poète, impuissant, mais lucide ; 4. L'azur symbolise l'idé l artistique du poète, qu'il veut atteindre et qui s'impose à lui ; 5. La Beauté inaccessible à l'air de narguer le poète ; 6. Parce que le poète commet une faute en se refusant à sa tâche de créateur de beauté ; 7. Apposition à *nuit* : ces lambeaux éteindront (*nuit*) l'éclat de l'azur ; 8. Le ciel d'automne, aux teintes blafardes.

STÉPHANE MALLARMÉ

Et toi, sors des étangs léthéens[1] et ramasse
En t'en venant la vase et les pâles roseaux,
15 Cher Ennui, pour boucher d'une main jamais lasse
Les grands trous bleus que font méchamment les oiseaux[2].

Encor ! que sans répit les tristes cheminées
Fument, et que de suie une errante[3] prison
Éteigne dans l'horreur de ses noires traînées
20 Le soleil se mourant jaunâtre à l'horizon !

— Le ciel est mort. — Vers toi, j'accours ! donne, ô matière,
L'oubli de l'Idéal cruel et du Péché
A ce martyr[4] qui vient partager la litière[5],
Où le bétail heureux des hommes est couché,

25 Car j'y veux, puisque enfin ma cervelle vidée,
Comme le pot de fard gisant au pied d'un mur,
N'a plus l'art d'attifer la sanglotante[6] idée,
Lugubrement bâiller vers un trépas obscur...

En vain ! l'Azur triomphe, et je l'entends qui chante
30 Dans les cloches. Mon âme, il se fait voix pour plus
Nous faire peur avec sa victoire méchante,
Et du métal vivant sort en bleus angélus[7] !

Il roule par la brume, ancien[8], et traverse
Ta native[9] agonie ainsi qu'un glaive[10] sûr ;
35 Où fuir dans la révolte inutile et perverse[11] ?
Je suis hanté. L'Azur ! l'Azur ! l'Azur ! l'Azur !

(*Poésies complètes.*
Édit. de la *Nouvelle Revue française.*)

---

1. Qui versent l'oubli ; **2.** L'image est à la fois auditive et visuelle ; mais il s'agit plus encore du chant des oiseaux qui évoque l'azur pour le poète, que de leur vol ; **3.** Ces fumées se déplacent sur le disque du couchant ; **4.** Le poète ; **5.** La vie, grossièrement matérielle d'où toute préoccupation artistique est absente ; **6.** Parce que malgré les ornements dont on la vêt (*pot de fard, attifer*), elle n'a pas l'espoir d'être complètement exprimée. **7.** Cette transposition (le poète rend une impression auditive par une impression visuelle) est préparée par le vers : *qui chante dans les cloches* ; **8.** Il préexiste au poète ; **9.** = « de naissance » ; le poète souffre ces affres de l'agonie par nature, parce qu'il est inapte à exprimer la Beauté qu'il porte en lui ; **10.** Passage du visuel au tactile ; **11.** Cette révolte est pour l'artiste une sorte de péché (cf. v. 22).

LE TOMBEAU D'EDGAR POE[1]

Tel qu'en Lui-même[2] enfin l'éternité le change,
Le Poète suscite[3] avec un glaive nu
Son siècle épouvanté de n'avoir pas connu[4]
Que la mort triomphait dans cette voix[5] étrange !

5 Eux[6], comme un vil sursaut d'hydre oyant jadis l'ange
Donner un sens plus pur aux mots de la tribu[7],
Proclamèrent très haut le sortilège bu
Dans le flot sans honneur de quelque noir mélange[8].

Du sol et de la nue hostiles[9], ô grief !
10 Si notre idée avec ne sculpte un bas-relief[10]
Dont la tombe de Poe éblouissante s'orne,

Calme bloc[11] ici-bas chu d'un désastre obscur,
Que ce granit du moins montre à jamais sa borne[12]
Aux noirs vols du Blasphème épars dans le futur[13] !

(*Poésies complètes.*
Édit. de la *Nouvelle Revue française.*)

LE VIERGE, LE VIVACE ET LE BEL[14]...

Le vierge, le vivace et le bel[15] aujourd'hui
Va-t-il nous déchirer avec un coup d'aile ivre
Ce lac dur oublié[16] que hante sous le givre
Le transparent glacier[17] des vols qui n'ont pas fui !

1. Poète et conteur américain (1809-1849) à l'imagination de visionnaire et dont Mallarmé traduisit et publia les poèmes en 1888 ; 2. Le poète, une fois mort, est redevenu à jamais lui-même ; 3. Réveille, fait se dresser ; 4. Reconnu ; 5. Le poète est le chantre de la mort et la voix du poète est celle de la mort : 6. Ses contemporains ; 7. = Du commun ; redonner aux mots courants une valeur nouvelle ; 8. Allusion à l'alcoolisme d'E. Poe = « le vulgaire proclama qu'il puisait dans l'alcool cette poésie ensorcelante » ; 9. Sens du vers : « O injustice inouïe des hommes (*sol*) — le poète est resté incompris — et du destin (*nue*) »! Le vers récapitule les deux quatrains et amène les cinq derniers vers : 10. *Avec* les images qu'il nous a laissées, ou *avec* ce granit (v. 13) ; 11. Mallarmé voit la tombe comme un aérolithe dont l'origine est mystérieuse, comme la poésie de Poe ; 12. C'est-à-dire « arrête les vols » ; 13. L'avenir ; 14. De nouveau le thème de l'impuissance poétique (cf. l'*Azur*) traité à la vraie manière mallarméenne : ce cygne dont les ailes sont prises dans la glace, c'est le poète prisonnier du monde réel, qui s'efforce de le dépasser pour recomposer avec lui l'œuvre poétique, d'atteindre cette poésie totale et inaccessible que poursuivait Mallarmé. C'est aussi le symbole de l'homme prisonnier des réalités matérielles qui mutilent sa personnalité, si l'on veut donner au poème une interprétation éthique, à côté de l'esthétique ; 15. Trois mots qui suggèrent la chaleur, par opposition à l'hiver (v. 3, v. 8) ; opposition aussi entre le passé (v. 3, v. 5) et le présent (v. 1 et 2) ; 16. On oublie qu'il est un lac, parce que depuis longtemps l'eau est gelée ; 17. Le vers désigne le cygne, bloc immaculé qui ne s'est pas dégagé à temps.

5 Un cygne d'autrefois se souvient que c'est lui
Magnifique[1] mais qui sans espoir se délivre[2]
Pour n'avoir pas chanté[3] la région où vivre
Quand du stérile hiver[4] a resplendi l'ennui.

Tout son col secouera[5] cette blanche agonie
10 Par l'espace infligée à l'oiseau qui le nie[6],
Mais non l'horreur du sol où le plumage est pris.

Fantôme qu'à ce lieu son pur éclat assigne[7],
Il s'immobilise[8] au[9] songe froid de mépris
Que vêt parmi l'exil[10] inutile[11] le Cygne.

(*Poésies complètes.*
Édit. de la *Nouvelle Revue française.*)

1. Qui a été magnifique; **2.** Essaye en vain de se délivrer; **3.** Le chant est déjà par lui-même une évasion; **4.** Cet hiver est symbolique: c'est la vie écœurante et monotone et aussi l'impuissance poétique; **5.** Maintenant que les ailes sont prises; **6.** = Qui l'a nié. Il ne peut plus et par suite ne veut plus (cf. v.13 : *mépris*) s'envoler dans l'espace; **7.** Que sa blancheur désigne pour être le fantôme de ce lieu; **8.** Immobilité intellectuelle aussi: c'est Mallarmé atterré par la page blanche qui attend le poème; **9.** = Dans le. Emploi classique; **10.** Loin des régions de l'art pur; **11.** Cf. *stérile*, du vers 8. L'épithète porte à la fois sur *exil* et sur *cygne*.

RÉSUMÉ CHRONOLOGIQUE DE LA VIE DE J. LAFORGUE
(1860-1887)

1860. — Naissance à Montevideo (Uruguay) de Jules Laforgue, le 20 août. Famille d'origine bretonne par sa mère, pyrénéenne par son père, instituteur, qui eut onze enfants.

1866. — Revient en France; enfance à Tarbes où il commence ses études au collège de la ville.

1876. — Achève ses études au lycée Fontanes (aujourd'hui Condorcet). Ne parvient pas à passer son baccalauréat, mais acquiert un savoir étonnant.

1879. — Existence besogneuse dans une chambre garnie de la rue Monsieur-le-Prince; réconforté par les lettres de sa sœur Marie. Accepte des travaux de librairie pour gagner sa vie. Fréquente les cénacles « décadents », écrit ses premiers vers.

1881-1886. — Paul Bourget lui fait obtenir la place de lecteur de l'impératrice Augusta à Berlin. Il la rejoint à Coblentz; quelques séjours à Bade et à Coblentz dans cette période. Collabore à *la Gazette des Beaux-arts*, *à la Revue indépendante*, au *Décadent*, à *la Vogue* (1re série), au *Symboliste*, à *la Vie moderne* et au *Figaro* (pseudonyme de Jean Vieu).

1885. — *Les Complaintes.*

1886. — *L'Imitation de Notre-Dame la Lune. Le Concile féerique.* Quitte ses fonctions de lecteur le 9 septembre. Épouse une jeune Anglaise, miss Leah Lee, à Londres, et la ramène à Paris.

1887. — *Les Moralités légendaires*, six contes en prose. Emporté par la phtisie le 20 août.

1890. — *Derniers vers. Des fleurs de bonne volonté*, posthumes.

1901. — *Le Sanglot de la Terre*, écrit de 1878 à 1883.

1903. — *Mélanges posthumes.*

Laforgue avait dix-huit ans de moins que Mallarmé, seize de moins que Verlaine, six de moins que Rimbaud, cinq de moins que Verhaeren, deux de moins que Samain, quatre de plus qu'Henri de Régnier.

J. LAFORGUE

NOTICE

(*Pour les* SYNCHRONISMES, *voir la Notice de* Jadis et Naguère, *page* 35.)

La sensibilité de Laforgue. — La sensibilité est nulle chez Mallarmé, elle est partout chez Jules Laforgue, sentimental abandonné et méfiant à la fois. Il a écrit d'abord des poèmes qui furent plus tard le recueil posthume du *Sanglot de la Terre* : toute une poésie de la détresse et de la solitude, la hantise du néant, des tons sombres, à la Pascal. Puis il dépouille l'éloquence, non absente de ces premiers vers, et adopte dans *les Complaintes* un genre qui convient à merveille à sa tournure d'esprit : dans ces pièces d'allure populaire il nous dit la monotonie et la banalité de l'existence, comme il les dira dans *l'Imitation de Notre-Dame la Lune*, en insistant sur les affinités secrètes entre les astres et les hommes : la lune est une sorte de double astral du poète, pâle, exsangue et mélancolique comme lui.

L'accent désabusé vient chez lui plutôt d'une intelligence lucide qui saisit la vanité de tout que d'une prédisposition sentimentale à l'ennui : un scepticisme aigu, une âme orpheline qui a besoin d'amour et de consolation, telles sont les sources constantes de sa poésie, ainsi que la souffrance : souffrance physique, tourment métaphysique, isolement sentimental. Il se produit chez lui, et à chaque instant, un curieux dédoublement : il souffre et s'observe souffrir, observe et raille sa souffrance. Mais ses allures gouailleuses ne sont que pudeur : il est le poète des longs colloques avec soi-même, des interrogations douloureuses où l'ironie réprime vite les élans de la sensibilité.

Son style. — Le style de Laforgue vise à l'expressivité; il veut rendre par tous les moyens la sensation intacte, le brisé de la vie de tous les jours et celui de l'inconscient : fantaisie, absence de liaison, associations verbales pleines de cocasserie, termes forgés dans des accès de fausse bonne humeur, élisions à la fin ou au milieu des mots, calembours même. Nul n'est plus étranger que lui à la beauté formelle. Ses premiers vers exceptés, il emploie un vers libéré qui ne gêne pas le jaillissement naturel de sa pensée, le va-et-vient de ses sentiments, et même dans ses *Derniers vers* il use du vers franchement libre : c'est là qu'on trouvera le meilleur Laforgue, le plus émouvant, le plus authentiquement impressionniste, celui qui nous fait regretter que cette œuvre ait été si tôt interrompue par la mort.

LES TÊTES DE MORTS

Voyons, oublions tout, la raison trop bornée
Et le cœur trop voyant[1], les arguments appris
Comme l'entraînement des souvenirs chéris,
Contemplons seul à seul, ce soir, la Destinée.

5 Cet ami, par exemple, est parti l'autre année;
Il eût fait parler Dieu[2] — sans ses poumons pourris[3].
Où vit-il, que fait-il au moment où j'écris?
Oh! le corps est partout, mais l'âme illuminée?

L'âme, cet infini qu'ont lassé tous ses dieux,
10 Que n'assouvirait pas l'éternité des cieux,
Et qui pousse toujours son douloureux cantique?

C'est tout! — Pourtant je songe à ces crânes qu'on voit.
Avez-vous médité, les os gelés de froid
Sur ce ricanement sinistrement sceptique[4]?

(*Le Sanglot de la Terre.*
Édit. du *Mercure de France.*)

COMPLAINTE D'UN AUTRE DIMANCHE[5]

C'était un très-au vent d'octobre paysage,
Que découpe, aujourd'hui dimanche, la fenêtre,
Avec sa jalousie en travers, hors d'usage,
Où sèche, depuis quand! une paire de guêtres
5 Tachant de deux mals blancs[6] ce glabre paysage.

Un couchant mal bâti suppurant du livide;
Le coin d'une buanderie aux tuiles sales;
En plein[7], le Val-de-Grâce, comme un qui préside;
Cinq arbres en proie à de mesquines rafales
10 Qui marbrent ce ciel cru de bandages livides.

---

1. Une sensibilité excessive qui induit en erreur; 2. Tant ses poèmes étaient sublimes;
3. Laforgue souffre de ce mal; 4. Cf. Baudelaire : « *Le sourire éternel de ces trente-deux dents* »; 5. Les après-midi de dimanche avec leurs ritournelles de pianos créent chez le poète une sorte de malaise : il y sent les médiocrités de la « vie quotidienne »; 6. Laforgue souligne ce qu'il y a de malsain et de morbide dans ce paysage d'arrière-saison (cf. v. 10, *bandages*);
7. Exactement en face.

Puis les squelettes de glycines aux ficelles,
En proie à des rafales encor plus mesquines !
O lendemains de noce ! ô brides de dentelles !
Montrent-elles assez la corde[1], ces glycines
15 Recroquevillant leur agonie aux ficelles !

Ah ! qu'est-ce que je fais, ici, dans cette chambre !
Des vers[2]. Et puis, après ! ô sordide limace !
Quoi ! la vie est unique[3], et toi, sous ce scaphandre,
Tu te racontes sans fin, et tu te ressasses !
20 Seras-tu donc toujours un qui garde la chambre[4] ?

Ce fut un bien-au vent d'octobre paysage...

Paris. Octobre 1884 ; 22, rue Berthollet.
Dimanche, retour de Chevreuse.
(*Les Complaintes*. Édit. du *Mercure de France*.)

COMPLAINTE SUR CERTAINS ENNUIS

Un couchant des cosmogonies[5] !
Ah ! que la vie est quotidienne[6]...
Et, du plus vrai qu'on se souvienne,
Comme on fut piètre et sans génie...

5 On voudrait s'avouer des choses
Dont on s'étonnerait en route[7]
Qui feraient, une fois pour toutes,
Qu'on s'entendrait à travers poses[8].

On voudrait saigner[9] le silence,
10 Secouer l'exil des causeries ;
Et non ! ces dames sont aigries
Par des questions de préséance.

---

1. La tige tordue des glycines ; **2.** Cf. dans *le Sanglot de la Terre*, le sonnet : *En tout sens à jamais le silence fourmille*, la même idée ; **3.** Il faut donc en profiter ; **4.** Un homme replié sur soi et qui vit dans une atmosphère raréfiée ; **5.** Le crépuscule évoque les lueurs des âges lointains où se formèrent les mondes ; **6.** Faite de la répétition insipide des jours ; **7.** Au cours de cet examen de conscience ; **8.** Malgré les airs avantageux qu'on se donne ; **9.** Vider le silence de tout ce qu'il contient de douloureux, de toutes les incompréhensions qu'il provoque, comme on soulage le corps par une saignée.

Elles boudent là, l'air capable[1].
Et sous le ciel, plus d'un s'explique
15   Par quel gâchis suresthétique[2]
Ces êtres-là sont adorables.

Justement, une nous appelle,
Pour l'aider[3] à chercher sa bague
Perdue (où? dans ce terrain vague?),
20   Un souvenir D'AMOUR, dit-elle!

Ces êtres-là sont adorables!

(*Les Complaintes*. Édit. du *Mercure de France*.)

COMPLAINTE DES DÉBATS MÉLANCOLIQUES
ET LITTÉRAIRES

> On peut encore aimer, mais
> confier son âme est un bonheur
> qu'on ne retrouvera plus.
> (*Corinne ou l'Italie*.)

Le long d'un ciel crépusculaire
Une cloche angéluse[4] en paix
L'air exilescent[5] et marâtre
Qui ne pardonnera jamais.

5   Paissant des débris de vaisselle,
Là-bas, au talus des remparts[6],
Se profile une haridelle
Convalescente; il se fait tard.

Qui m'aima jamais[7]? Je m'entête
10   Sur ce refrain bien impuissant,
Sans songer que je suis bien bête
De me faire du mauvais sang.

Je possède un propre[8] physique,
Un cœur d'enfant bien élevé,

---

1. Sens familier : avec une orgueilleuse suffisance ; **2.** Complications des littérateurs raffinés ; **3.** Motif futile et décevant ; **4.** Verbe créé par Laforgue : « Répand, par la sonnerie de l'angélus, le calme dans... » ; **5.** Autre néologisme : « Qui tend à devenir un air d'exil » ; **6.** Influence de Baudelaire, *Paysages parisiens* ; **7.** Thème fréquent chez Laforgue ; **8.** Avenant.

15 Et pour un cerveau magnifique
Le mien n'est pas mal, vous savez!

Eh bien, ayant pleuré l'Histoire,
J'ai voulu vivre un brin heureux;
C'était trop demander, faut croire;
20 J'avais l'air de parler hébreux.

Ah! tiens, mon cœur, de grâce, laisse[1]!
Lorsque j'y songe, en vérité,
J'en ai des sueurs de faiblesse,
A choir dans la malpropreté.

25 Le cœur me piaffe de génie
Éperdument pourtant, mon Dieu!
Et si quelqu'une veut ma vie,
Moi, je ne demande pas mieux!

Eh va, pauvre âme véhémente!
30 Plonge, être, en leurs Jourdains[2] blasés,
Deux frictions de vie courante
T'auront bien vite exorcisé[3].

Hélas, qui peut m'en répondre!
Tenez, peut-être savez-vous
35 Ce que c'est qu'une âme hypocondre?
J'en suis une dans les prix doux.

O Hélène[4], j'erre en ma chambre,
Et tandis que tu prends le thé,
Là-bas, dans l'or d'un fier septembre,

40 Je frissonne de tous mes membres,
En m'inquiétant de ta santé.

Tandis que, d'un autre côté[5].....

Berlin.
(*Les Complaintes*. Édit. du *Mercure de France*.)

---

1. « Abandonne la partie »; **2.** Le *Jourdain* est la rivière où saint Jean-Baptiste baptisa Jésus;
3. Débarrassé de cette tare morale comme d'un péché héréditaire; **4.** Femme imaginaire;
5. Le poème se termine sur un haussement d'épaules; compléter par : « Tu ignores l'inquiétude
qui me dévore ».

ENCORE UN LIVRE...

Encore un livre[1]; ô nostalgies
Loin de ces très goujates gens,
Loin des saluts et des argents[2].
Loin de nos phraséologies!

5   Encore un de mes pierrots[3] mort,
Mort d'un chronique orphelinisme;
C'était un cœur plein de dandysme
Lunaire, en un drôle de corps[4].

Les dieux s'en vont, plus que des hures[5];
10   Ah! ça devient tous les jours pis;
J'ai fait mon temps[6]; je déguerpis
Vers l'Inclusive Sinécure[7]!

(*Imitation de Notre-Dame la Lune.*
Édit. du *Mercure de France.*)

DIMANCHES

Le ciel pleut sans but, sans que rien l'émeuve,
Il pleut, il pleut, bergère! sur le fleuve[8]...

Le fleuve a son repos dominical;
Pas un chaland, en amont, en aval.

5   Les Vêpres carillonnent sur la ville,
Les berges sont désertes, sans idylles.

Passe un pensionnat (ô pauvres chairs!)
Plusieurs ont déjà leurs manchons d'hiver.

Une qui n'a ni manchon, ni fourrures
10   Fait, tout en gris[9], une pauvre figure.

1. Laforgue salue la naissance d'une nouvelle œuvre; **2.** Contemporains obséquieux et intéressés; **3.** *L'Imitation de Notre-Dame la Lune* contient plusieurs portraits de pierrots; **4.** Il se définit lui-même en ces deux vers; **5.** Êtres grossiers; **6.** (Sur la terre); **7.** Le Néant où l'on n'a plus rien à faire et où l'on est pour toujours (*inclusive*); **8.** Utilisation fréquente chez Laforgue de vers ou de refrains de chansons populaires; **9.** Sorte de calembour : cf. *faire grise mine.*

Et la voilà qui s'échappe des rangs,
Et court! ô mon Dieu, qu'est-ce qu'il lui prend?

Et elle va se jeter dans le fleuve.
Pas un batelier, pas un chien Terr'Neuve[1].

15   Le crépuscule vient; le petit port
Allume ses feux (Ah! connu, l'décor!).

La pluie continue à mouiller le fleuve,
Le ciel pleut sans but, sans que rien l'émeuve.

(*Des fleurs de bonne volonté.*
Édit. du *Mercure de France.*)

---

1. Solide chien qui pourrait opérer un sauvetage.

RÉSUMÉ CHRONOLOGIQUE DE LA VIE D'É. VERHAEREN

(1855-1916)

1855. — Né le 22 mai à Saint-Amand, entre Anvers et Gand (Belgique). Père drapier; famille de bourgeois flamands.
    Enfance dans la campagne flamande, sur les bords de l'Escaut, parmi les artisans du village et les gamins de son âge.

1869-1877. — Études au collège des Jésuites Sainte-Barbe, à Gand, puis à l'Université de Louvain. Avocat stagiaire à Bruxelles; rencontre Rodenbach et le peintre Théo van Rysselberghe.

1881. — Au barreau de Bruxelles, mais déjà attiré par la poésie.

1883. — *Les Flamandes*, recueil truculent qui fait scandale.

1886. — *Les Moines*, après un séjour à la Trappe de Notre-Dame de Chimay.

1887. — *Les Soirs*.

1888. — *Les Débâcles*.

1890. — *Les Flambeaux noirs*. Voyages en Espagne, en Allemagne; séjour à Londres.

1891. — *Au bord de la route. Les Apparus dans mes chemins*.

1892. — Mariage avec Mlle Massin, jeune Liégeoise.

1893. — *Les Campagnes hallucinées*.

1895. — *Almanach* (plus tard *les Douze mois*). *Les Villes tentaculaires. Les Villages illusoires;* renommée de Verhaeren, qui traite de problèmes contemporains. Il collabore avec le député socialiste Van der Velde.

1896. — *Les Heures claires*.

1898. — *Les Aubes*, drame lyrique en quatre actes.

1899. — *Les Vignes de ma muraille* (écrit en 1892-1897). *Les Visages de la vie*.

1900. — *Le Cloître*, drame en quatre actes.

1901. — *Philippe II*, tragédie en trois actes.

1902. — *Les Forces tumultueuses;* chantre de l'action, de la vie et de l'énergie.

1904. — *Toute la Flandre :* « *les Tendresses premières* ». Réside dans ces années tantôt à Saint-Cloud, tantôt à Bruxelles.

1905. — *Les Heures d'après-midi*.

1906. — *La Multiple splendeur*.

1907. — *Toute la Flandre :* « *la Guirlande des Dunes* ».

1908. — *Toute la Flandre :* « *les Héros* ».

1910. — *Toute la Flandre :* « *les Villes à pignons* ». — *Les Rythmes souverains*.

1911. — *Toute la Flandre :* « *les Plaines* ». — *Les Heures du soir*.

1912. — *Les Blés mouvants*. — *Hélène de Sparte*, tragédie.

1916. — *Les Ailes rouges de la guerre*. — Mort de Verhaeren, écrasé en gare de Rouen au cours d'une tournée de conférences sur la Belgique, organisée par la Propagande française.

1918. — *Les Flammes hautes* (écrit avant 1914), recueil posthume.

1924. — *A la vie qui s'éloigne* (poèmes restés inédits).

Verhaeren avait treize ans de moins que Mallarmé, onze de moins que Verlaine, un de moins que Rimbaud, trois de plus que Samain, cinq de plus que Laforgue, neuf de plus qu'H. de Régnier.

É. VERHAEREN

NOTICE

Ce qui se passait entre 1890 et 1914. — EN POLITIQUE. *Présidences de Sadi Carnot († 1894), Casimir-Perier (1894-1895), F. Faure (1895-1899), Loubet (1899-1906), Fallières (1906-1913), Poincaré (1913-1920). Alliance franco-russe (1892) ; le scandale de Panama (1893), affaire Dreyfus (1894-1898). Formation de la majorité de défense républicaine ; réorganisation du parti socialiste. Gouvernement du parti radical en conflit avec l'Eglise ; séparation des Eglises et de l'Etat (1905). Agitation contre le ministère Clemenceau (1907-1909). Campagne de défense laïque ; reconstitution du bloc des gauches.*

Guerre sino-japonaise (1894-1895) ; conquête de Madagascar (1895-1899) ; pacification du Tonkin. Fachoda (1898). Convention entre la France et l'Angleterre (1904) ; affaire d'Agadir (1908), protectorat sur le Maroc (1912).

EN LITTÉRATURE. *Heredia*, les Trophées *(1893). Romans de Loti ; A. France* (la Rôtisserie de la reine Pédauque, *1893;* Histoire contemporaine, *1896-1901). — Claudel*, Tête d'Or *(1890) ; le Théâtre libre (1887-1895) ; regain du drame romantique :* Cyrano de Bergerac, *d'E. Rostand (1897) ; F. de Curel*, le Repas du lion *(1897). — P. Valéry*, la Soirée avec M. Teste *(1895) ; Gide*, les Nourritures terrestres *(1897) ; Barrès, romans de l'énergie nationale (1897-1903). — Drames de M. Maeterlinck* (l'Oiseau bleu, *1908). — R. de Gourmont*, Promenades littéraires. *— Proust*, Du côté de chez Swann *(1913).*

DANS LES ARTS ET DANS LES SCIENCES. *Mort de Puvis de Chavannes (1898). — Les néo-impressionnistes, Sisley, Pissarro. — Carrière, Cézanne, Gauguin. — A. Besnard, Maurice Denis. — Le cubisme avec Picasso (1910). — En sculpture : Rodin,* Balzac *(1898) ; Bourdelle. — En musique, Debussy* (Pelléas et Mélisande, *1902), Ravel, V. d'Indy. — En sciences : découverte des rayons X (1895) ; l'Avion de Ader (1896), Branly et la T. S. F. — Découverte du radium (1903).*

Les étapes du lyrisme de Verhaeren. — Verhaeren est parti d'un réalisme truculent et minutieux, tout à fait dans la tradition des maîtres flamands : il a été dans ses *Flamandes* le peintre des kermesses, des bourgs, des fermes, des beuveries. Après *les Moines*, où le sensuel fait place au mystique, il a traversé une grave crise morale et frôlé la folie : de là sont sortis *les Soirs, les Débâcles, les Flambeaux noirs*, véritable « trilogie de la neurasthénie », recueils morbides, exaspérés, pleins d'âpre angoisse. Mais la guérison commence à poindre dans *Au bord de la route* et *les Apparus dans* *mes chemins*, suivis de la trilogie sociale, et même socialiste, avec *les Campagnes hallucinées, les Villes tentaculaires, les Villages illusoires* : Verhaeren traite ici de problèmes contemporains, malaise social, désertion des campagnes, mais il est surtout le prestigieux évocateur des plaines flamandes sur qui s'acharne le vent du Nord et celui des villes colossales qui absorbent l'effort humain. Il deviendra désormais le chantre de l'énergie dans *les Forces tumultueuses, la Multiple splendeur* et *les Rythmes souverains*, exaltant la vie et l'action sous toutes leurs formes, même les plus brutales. Il est le poète de la ville, du port, des docks, de l'usine, de cette fébrilité industrielle qu'il annexe désormais à la poésie. En même temps s'affirme sa foi en un progrès qui délivre l'homme des vieux préjugés et lui promet la fraternité universelle. Mais les forces tumultueuses, ce sont aussi le vent, la mer, tous les éléments déchaînés dont il nous fait entendre les colères en ses vers fougueux, forces où il veut se perdre pour se survivre en elles. Nul poète n'a mieux chanté son pays que celui-ci : les cinq recueils de *Toute la Flandre* sont une exaltation de la province natale, dont ils évoquent les beautés : petites villes, intérieurs, dunes, plaines, campagnes, fêtes, héros. Ajoutons un des plus exquis recueils de vers d'amour de notre littérature, *les Heures*, qui témoigne de la souplesse de ce talent.

L'art de Verhaeren. — L'œuvre de Verhaeren est un hymne de joie et d'abord une découverte de la joie et de la splendeur du monde ; c'est aussi celle d'un visionnaire qui décrit moins le monde extérieur tel qu'il est que tel que le poète le porte en lui ; et d'un réaliste dont les sens à l'affût captent le détail suggestif d'un ensemble. Il a tiré de prestigieux effets du vers libre, il le plie souverainement à ses volontés, il lui fait rendre le halètement de la vie moderne, le fracas des trains, les clameurs des foules et aussi de pénétrantes nostalgies, et les longues mélopées du vent sur la plaine infinie ; sa strophe est large, enlevée par un dynamisme impérieux, et bien qu'il soit venu dans quelques-uns de ses derniers recueils à une forme moins heurtée, à une versification plus régulière, il n'a pas hésité à bousculer la langue et la syntaxe pour se libérer.

ÉMILE VERHAEREN

LES MOINES

Je vous invoque ici, Moines apostoliques,
Encensoirs d'or, drapeaux de foi, trépieds de feu;
Astres[1] versant le jour aux siècles catholiques,
Constructeurs éblouis de la maison de Dieu;

5 Solitaires assis sur les montagnes blanches,
Marbres de volonté, de force et de courroux[2],
Prêcheurs tenant levés vos bras à longues manches
Sur les remords ployés des peuples à genoux;

Vitraux avivés d'aube et de matin candides[3],
10 Vases de chasteté ne tarissant jamais,
Miroirs réverbérant comme des lacs lucides
Des rives de douceur et des vallons de paix.

Voyants dont l'âme était la mystique habitante,
Longtemps avant la mort, d'un monde extra-humain[4];
15 Torses incendiés de ferveur haletante,
Rocs barbares[5] debout sur le monde romain;

Arches dont le haut cintre arquait sa vastitude,
Avec de lourds piliers d'argent comme soutiens,
Du côté de l'aurore et de la solitude
20 D'où sont venus vers nous les grands fleuves chrétiens;

Clairons sonnant le Christ à belles claironnées,
Tocsins battant l'alarme, à mornes glas tombants,
Tours de soleil de loin en loin illuminées,
Qui poussez dans le ciel vos crucifix flambants.

(*Les Moines.* Édit. du *Mercure de France.*)

LE MOULIN

Le moulin tourne au fond du soir, très lentement,
Sur un ciel de tristesse et de mélancolie,

1. Rôle civilisateur et culturel des grands ordres monastiques au Moyen Age; 2. Verhaeren a écrit un drame, *le Cloître* (1900), pour lequel ce vers pourrait servir d'épigraphe; 3. Sens étymologique. Cf. Hugo : *Booz endormi* : « *Vêtu de probité candide et de lin blanc* »; 4. Les moines goûtent déjà un bonheur céleste; 5. Parce qu'étrangers à Rome; et rappel aussi du v. 6 (l'inquisition par exemple).

Il tourne et tourne, et sa voile, couleur de lie,
Est triste et faible, et lourde et lasse, infiniment.

5 Depuis l'aube, ses bras, comme des bras de plainte,
Se sont tendus et sont tombés; et les voici
Qui retombent encor, là-bas, dans l'air noirci
Et le silence entier de la nature éteinte.

Un jour souffrant d'hiver sur les hameaux s'endort,
10 Les nuages sont las de leurs voyages sombres,
Et le long des taillis qui ramassent leurs ombres[1],
Les ornières s'en vont vers un horizon mort.

Autour d'un viel étang, quelques huttes de hêtre
Très misérablement sont assises en rond;
15 Une lampe de cuivre éclaire leur plafond
Et glisse une lueur aux coins de leur fenêtre.

Et dans la plaine immense au bord du flot dormeur
Ces torpides maisons, sous le ciel bas, regardent
Avec les yeux fendus de leurs vitres hagardes,
20 Le vieux moulin qui tourne et, las, qui tourne et meurt.

(*Les Soirs*. Édit du *Mercure de France*.)

LA VILLE[2]

Tous les chemins vont vers la ville.
Du fond des brumes,
Là-bas, avec tous ses étages
Et ses grands escaliers et leurs voyages
5 Jusques au ciel, vers de plus hauts étages,
Comme d'un rêve[3], elle s'exhume.

Là-bas,
Ce sont des ponts tressés en fer
Jetés, par bonds, à travers l'air;

---

1. Cf. Lamartine, *Jocelyn ; « les Laboureurs »* :
  ... pendant que l'ombre obscure
  Sous le soleil montant se replie à mesure.
2. Pièce liminaire des *Campagnes hallucinées*. Cette ville, c'est surtout Londres. Les villes
« tentaculaires » sont celles qui attirent les gens des campagnes et absorbent tous leurs efforts;
3. Notez dès le début le caractère hallucinatoire du tableau.

10 Ce sont des blocs et des colonnes
Que dominent des faces de gorgonnes[1],
Ce sont des tours sur des faubourgs,
Ce sont des toits et des pignons,
En vols pliés[2], sur les maisons;
15 C'est la ville tentaculaire,
Debout,
Au bout des plaines et des domaines.

. . . .

Un fleuve de naphte et de poix
Bat les môles de pierre et les pontons de bois;
20 Les sifflets crus des navires qui passent
Hurlent[3] la peur dans le brouillard :
Un fanal[4] vert est leur regard
Vers l'océan et les espaces.

Des quais sonnent aux entrechocs de leurs fourgons,
25 Des tombereaux grincent comme des gonds,
Des balances[5] de fer font choir des cubes d'ombre
Et les glissent soudain en des sous-sols de feu;
Des ponts s'ouvrant[6] par le milieu,
Entre les mâts touffus dressent un gibet sombre,
30 Et des lettres de cuivre[7] inscrivent l'univers,
Immensément, par à travers
Les toits, les corniches et les murailles,
Face à face, comme en bataille[8].
Par au-dessus, passent les cabs[9], filent les roues,
35 Roulent les trains, vole l'effort,
Jusqu'aux gares, dressant, telles des proues[10]
Immobiles, de mille en mille, un fronton d'or.
Les rails ramifiés rampent sous terre
En des tunnels et des cratères
40 Pour reparaître en réseaux clairs d'éclairs
Dans le vacarme et la poussière.

---

1. Allégories des monuments publics déformées par l'hallucination; 2. Détail flamand : les toits à forte inclinaison font l'effet de grandes ailes rabattues; 3. Verbe souvent construit transitivement par Verhaeren; 4. Grosse lanterne allumée à bord; 5. Les grues du débarcadère; 6. Le pont de la Tour de Londres; 7. La raison sociale des banques ou des entrepôts; 8. La bataille commerciale. 9. Cabriolet anglais, dont le cocher est placé à l'arrière, sur un siège surélevé; 10. Le hall des gares ressemble à une carène renversée.

C'est la ville tentaculaire.

. . . .

Telle, le jour — pourtant lorsque les soirs
Sculptent le firmament de leurs marteaux d'ébène,
45 La ville au loin s'étale et domine la plaine
Comme un nocturne et colossal espoir[1];
Elle surgit : désir, splendeur, hantise;
Sa clarté se projette en lueurs jusqu'aux cieux,
Son gaz myriadaire en buissons d'or s'attise,
50 Ses rails sont des chemins audacieux
Vers le bonheur fallacieux
Que la fortune et la force accompagnent;
Ses murs se dessinent pareils à une armée
Et ce qui vient d'elle encore de brume et de fumée
55 Arrive en appels clairs vers les campagnes[2].

C'est la ville tentaculaire,
La pieuvre ardente et l'ossuaire
Et la carcasse solennelle.

Et les chemins d'ici s'en vont à l'infini
60 Vers elle.

> (*Les Campagnes hallucinées.*
> Édit. du *Mercure de France.*)

UN MATIN

Dès le matin, par mes grand'routes coutumières
    Qui traversent champs et vergers,
    Je suis parti clair et léger,
Le corps enveloppé de vent[3] et de lumière.

5 Je vais, je ne sais où. Je vais, je suis heureux;
    C'est fête et joie en ma poitrine;
    Que m'importent droits et doctrines,
Le caillou sonne et luit sous mes talons poudreux;

---

1. Avec ses efforts, elle est pour le poète le symbole de l'Humanité future; **2.** Le problème de la désertion des campagnes a préoccupé Verhaeren vers les années 1890; **3.** Pour le thème du vent, cf. entre autres : « *le Vent* » dans *les Villages illusoires* et « *A la gloire du vent* » dans *la Multiple splendeur.*

Je marche avec l'orgueil d'aimer l'air et la terre,
10   D'être immense et d'être fou
   Et de mêler le monde et tout
A cet enivrement de vie élémentaire.

Oh! les pas voyageurs et clairs des anciens dieux[1]!
   Je m'enfouis dans l'herbe sombre
15   Où les chênes versent leurs ombres
Et je baise les fleurs sur leurs bouches de feu.

Les bras fluides et doux des rivières m'accueillent;
   Je me repose et je repars
   Avec mon guide, le hasard,
20 Par des sentiers sous bois dont je mâche les feuilles[2].

Il me semble jusqu'à ce jour n'avoir vécu
   Que pour mourir et non pour vivre :
   Oh! quels tombeaux creusent les livres[3]
Et que de fronts armés y descendent vaincus!

25 Dites, est-il vrai qu'hier il existât des choses,
   Et que des yeux quotidiens
   Aient regardé, avant les miens,
Se pavoiser[4] les fruits et s'exalter les roses!

Pour la première fois, je vois les vents vermeils
30   Briller dans la mer des branchages,
   Mon âme humaine n'a point d'âge[5];
Tout est jeune, tout est nouveau sous le soleil.

J'aime mes yeux, mes bras, mes mains, ma chair, mon torse[6]
   Et mes cheveux amples et blonds
35   Et je voudrais, par mes poumons,
Boire l'espace entier pour en gonfler ma force.

---

1. Autre thème fréquent : cortèges de saints arrivant, des temps immémoriaux, dans les plaines flamandes, Maries pacifiant les mers en parant les campagnes de leur grâce touchante, donnent à plusieurs poèmes un accent de mystique nostalgie; **2.** L'enthousiasme au sein de la nature est un réconfort plus certain que la science, impuissante à nous livrer les secrets de l'univers. Verhaeren a cependant chanté en son œuvre la science, l'étude, les Idées; **3.** Cf. *«Ma gerbe »* dans *les Flammes hautes :*

   Vous, les savants sereins, vous, les chercheurs fébriles
   Qui deviendrez l'orgueil et la clarté des villes
   Et les hauts constructeurs d'un avenir puissant.

4. Déployer leurs couleurs, comme des drapeaux; **5.** Il découvre en lui l'homme éternel ; **6.** Cet éloge du corps humain revient souvent dans l'œuvre du poète : cf. *« la Joie »* dans *la Multiple splendeur.*

Oh! ces marches à travers bois, plaines, fossés,

Où l'être chante et pleure et crie

Et se dépense avec furie

40 Et s'enivre de soi ainsi qu'un insensé!

(*Les Forces tumultueuses*.

Édit. du *Mercure de France*.)

LE NAVIRE[1]

Nous avancions tranquillement sous les étoiles;

La lune oblique errait autour du vaisseau clair,

Et l'étagement blanc des vergues et des voiles

Projetait sa grande ombre au large sur la mer.

5 La froide pureté de la nuit embrasée

Scintillait dans l'espace et frissonnait sur l'eau;

On voyait circuler la grande Ourse et Persée

Comme en des cirques d'ombre éclatante, là-haut.

Dans le mât d'artimon[2] et le mât de misaine,[3]

10 De l'arrière à l'avant où se dardaient les feux,

Des ordres, nets et continus comme des chaînes,

Se transmettaient soudain et se nouaient entre eux.

Chaque geste servait[4] à quelque autre plus large

Et lui vouait l'instant de son utile ardeur,

15 Et la vague portant la carène et sa charge

Leur donnait pour support sa lucide splendeur.

La belle immensité exaltait la gabarre[5]

Dont l'étrave marquait les flots[6] d'un long chemin;

L'homme, qui maintenait à contre-vent la barre,

20 Sentait vibrer tout le navire entre ses mains.

Il tanguait sur l'effroi, la mort et les abîmes,

D'accord avec chaque astre et chaque volonté,

---

1. Ce poème termine le recueil des *Rythmes souverains* où Verhaeren retrace en une quin-zaine de poèmes quelques époques de la civilisation humaine; **2.** Mât d'arrière; **3.** Mât d'avant; **4.** Rend l'idée de solidarité humaine; **5.** Grande embarcation à voiles et à rames; **6.** Les traces du chemin disparu : les civilisations disparues.

Et maîtrisant ainsi les forces unanimes[1],
Semblait dompter et s'asservir l'éternité.

> (*Les Rythmes souverains.*
> Édit. du *Mercure de France.*)

LORSQUE TU FERMERAS...

Lorsque tu fermeras[2] mes yeux à la lumière,
Baise-les longuement, car ils t'auront donné
Tout ce qui peut tenir d'amour passionné
Dans le dernier regard de leur ferveur dernière.

5 Sous l'immobile éclat du funèbre flambeau[3],
Penche vers leur adieu ton triste et beau visage
Pour que s'imprime et dure en eux la seule image
    Qu'ils garderont dans le tombeau.

Et que je sente, avant que le cercueil se cloue,
10 Sur le lit pur et blanc se rejoindre nos mains
Et que près de mon front sur les pâles coussins,
Une suprême fois se repose ta joue.

Et qu'après je m'en aille au loin avec mon cœur
Qui te conservera une flamme[4] si forte
15 Que même à travers la terre compacte et morte
Les autres morts en sentiront l'ardeur !

> (*Les Heures du soir.*
> Édit. du *Mercure de France.*)

---

1. Verhaeren a peint plusieurs portraits de chefs, de conducteurs de peuples. Cf. *Rythmes souverains* : « *le Maître* » ; *les Villes tentaculaires* : « *Une statue* » (apôtre) ; *les Forces tumultueuses* : « *le Tribun* », « *le Tyran* » ; **2.** Le recueil est dédié à la femme du poète ; **3.** Le cierge de la veillée mortuaire ; **4.** Au sens racinien du mot.

RÉSUMÉ CHRONOLOGIQUE DE LA VIE D'ALBERT SAMAIN

(1858-1900)

1858. — Naissance à Lille, le 4 avril, d'Albert-Victor Samain. Famille flamande. Aîné de quatre enfants.

1873. — Études commencées au lycée de Lille, mais interrompues en 3e par la mort de son père. Soutien de famille, le jeune Samain entre dans une maison de banque; il se cultive, s'intéresse surtout à la littérature grecque.

1880. — Se fixe à Paris. Existence familiale et discrète près de sa mère et de son frère. Obtient, grâce à la recommandation d'Octave Feuillet, un emploi d'expéditionnaire à l'Hôtel de Ville. Passera ensuite à la Préfecture de la Seine.
    Fréquente quelques cénacles, collabore au *Scapin*, au *Chat-Noir*. Amitiés avec Gabriel Randon, Jehan Rictus, Alfred Vallette.

1884. — Visite avec Paul Morisse l'Allemagne, les bords du Rhin, Mayence.

1889. — Prend part à la fondation du *Mercure de France* avec A. Vallette. Écrit à *la Revue des Deux Mondes*, à *la Revue hebdomadaire*, *la Revue du Nord*, *l'Ermitage*, *le Beffroi*, etc...

1893. — *Au Jardin de l'Infante*, poèmes. Fr. Coppée lui consacre un article qui attire sur lui l'attention du public.

1896. — Après un séjour à Londres, passe un mois en Hollande.

1897. — Aux Pyrénées et au Pays basque.

1898. — L'Académie française lui décerne le prix Archon-Despérouses. Publie *Aux flancs du vase*. Voyage en Italie. Mort de sa mère. Sa santé décline (affection de poitrine).

1900. — Meurt le 18 août à Magny-les-Hameaux, près de Port-Royal-des-Champs.

1901. — Éditions posthumes du *Chariot d'or* et de *Polyphème*. — *Poèmes inachevés*, joints aux *Flancs du vase*.

Samain avait seize ans de moins que Mallarmé, quatorze ans de moins que Verlaine, quatre de moins que Rimbaud, trois de moins que Verhaeren, deux de plus que Laforgue, six de plus qu'H. de Régnier.

———————

A. SAMAIN

NOTICE

(*Pour les* SYNCHRONISMES *voir Notice de* VERHAEREN, *page* 67.)

Le poète. — Dès son premier recueil *Au jardin de l'Infante*, Samain est ce qu'il ne cesse d'être aux yeux de ses fervents : le poète des mélancolies de fins de jour, des voluptés languides, des âmes énervées par les âcres senteurs vespérales ou automnales. Des symboles aisément déchiffrables fleurissent dans ces vers d'une belle facture qui n'ont pris que de très légères libertés vis-à-vis de la versification traditionnelle; la musique en est fluide, nuancée, évanescente, cultivant parfois avec excès les modulations à la mode :

> Je rêve de vers doux mourant comme des roses.

C'est à coup sûr le plus accessible des symbolistes, celui qui a permis à un assez large public de pénétrer au seuil du temple, et d'y faire quelques pas sans risquer de s'y égarer. Dans son deuxième recueil, *Aux flancs du vase*, Samain renonce à ces états d'âme vaporeux, à ces extases un peu faciles, pour se faire, dans le sillage apparent de Ronsard et de Chénier (car il n'y a de grec que les noms et les décors) le peintre sobre, pittoresque et précis des réalités quotidiennes et familières dont il dégage l'intense poésie que l'habitude nous a voilée. C'est ici un beau poète, aux limpides images, dans une forme plus simple, moins quintessenciée, moins marquée par les recherches verbales. *Le Chariot d'or*, recueil posthume, prolonge ces deux inspirations et les unit sans discordance.

ÉLÉGIE

Quand la nuit verse sa tristesse au firmament[1],
Et que, pâle au balcon, de ton calme visage
Le signe essentiel hors du temps se dégage,
Ce qui t'adore en moi s'émeut profondément.

5 C'est l'heure de pensée où s'allument les lampes.
La ville, où peu à peu toute rumeur s'éteint[2],
Déserte, se recule en un vague lointain
Et prend cette douceur des anciennes estampes.

Graves, nous nous taisons. Un mot tombe parfois,
10 Fragile pont où l'âme à l'âme communique.
Le ciel se décolore, et c'est un charme unique,
Cette fuite du temps, il semble, entre nos doigts.

Je resterais ainsi des heures, des années,
Sans épuiser jamais la douceur de sentir
15 Ta tête aux lourds cheveux sur moi s'appesantir,
Comme morte parmi les lumières fanées.

C'est le lac endormi de l'heure à l'unisson,
La halte au bord du puits, le repos dans les roses;
Et par de longs fils d'or nos cœurs liés aux choses[3]
20 Sous l'invisible archet vibrent d'un long frisson.

Oh! garder à jamais l'heure élue entre toutes,
Pour que son souvenir, comme un parfum séché,
Quand nous serons plus tard las d'avoir trop marché,
Console notre cœur, seul, le soir sur les routes.

25 Voici[4] que les jardins de la nuit vont fleurir.
Les lignes, les couleurs, les sons deviennent vagues[5].
Vois, le dernier rayon agonise à tes bagues.
Ma sœur, n'entends-tu pas quelque chose mourir!...

---

1. La prédilection de Samain pour les nocturnes (cf. « *Nocturne* » dans le même recueil)
s'explique par son âme éprise de mélancolie et de suave tristesse (cf. premier et dernier vers du
poème); **2.** Rapprocher du *Recueillement* de Baudelaire; **3.** Cf. V. Hugo : *Tristesse d'Olympio* :
« *Les fils mystérieux où nos cœurs sont liés* »; **4.** G. Fauré a mis en musique ces trois dernières strophes; **5.** Cf. Baudelaire : *Harmonie du soir* : « *Les sons et les parfums tournent dans
l'air du soir.* »

Mets sur mon front tes mains fraîches comme une eau pure,
30 Mets sur mes yeux tes mains douces comme des fleurs,
Et que mon âme, où vit le goût secret des pleurs,
Soit comme un lys fidèle et pâle à ta ceinture.

C'est la Pitié qui pose ainsi son doigt sur nous;
Et tout ce que la terre a de soupirs qui montent,
35 Il semble qu'à mon cœur enivré le racontent
Tes yeux levés au ciel, si tristes et si doux.

> (*Au jardin de l'Infante.*
> Édit. du *Mercure de France.*)

LE CIEL COMME UN LAC D'OR...

Le ciel comme un lac d'or pâle s'évanouit.
On dirait que la plaine, au loin déserte, pense;
Et dans l'air élargi de[1] vide et de silence
S'épanche la grande âme triste de la nuit[2].

5 Pendant que çà et là brillent d'humbles lumières,
Les grands bœufs accouplés rentrent par les chemins;
Et les vieux en bonnet, le menton sur les mains,
Respirent le soir calme aux portes des chaumières.

Le paysage, où tinte une cloche, est plaintif
10 Et simple comme un doux tableau de primitif[3],
Où le bon Pasteur[4] mène un agneau blanc qui saute.

Les astres au ciel noir commencent à neiger[5],
Et là-bas, immobile au sommet de la côte,
Rêve la silhouette antique d'un berger.

> (*Au jardin de l'Infante.*
> Édit. du *Mercure de France.*)

LE REPAS PRÉPARÉ

Ma fille, laisse-là ton aiguille et ta laine[6];
Le maître va rentrer; sur la table de chêne
Avec la nappe neuve[7] aux plis étincelants
Mets la faïence claire et les verres brillants.

---

1. = par le; **2.** Pour l'impression, cf. *Elégie* (v. 1); **3.** Les primitifs sont les peintres d'avant la Renaissance; **4.** Jésus est souvent représenté comme un berger entouré de ses brebis. L'image est tirée des Évangiles; **5.** Cf. Mallarmé : *Apparition* : « *Neiger de blancs bouquets d'étoiles parfumées* »; **6.** Variante : *Ma fille, lève-toi, dépose là ta laine*; **7.** Variante : *Que recouvre la nappe.*

5 Dans la coupe arrondie à l'anse au col de cygne
  Pose les fruits choisis sur des feuilles de vigne :
  Les pêches que recouvre un velours vierge encor[1],
  Et les lourds raisins blancs mêlés aux raisins d'or.
  Que le pain bien coupé remplisse les corbeilles,
10 Et puis ferme la porte et chasse les abeilles...
   Dehors le soleil brûle, et la muraille cuit,
   Rapprochons les volets, faisons presque la nuit.
   Afin qu'ainsi la salle, aux ténèbres plongée,
   S'embaume toute aux fruits dont la table est chargée.
15 Maintenant, va puiser[2] l'eau fraîche dans la cour ;
   Et veille que surtout la cruche, à ton retour,
   Garde longtemps, glacée et lentement fondue,
   Une vapeur légère à ses flancs suspendue.

> (*Aux flancs du vase.*
> Édit. du *Mercure de France.*)

MON ENFANCE CAPTIVE[3]...

Mon enfance captive a vécu dans les pierres,
Dans la ville[4] où sans fin, vomissant le charbon,
L'usine en feu dévore un peuple moribond :
Et pour voir des jardins je fermais les paupières...

5 J'ai grandi, j'ai rêvé d'Orient[5], de lumières,
  De rivages, de fleurs où l'air tiède sent bon,
  De cités aux noms d'or, et, seigneur vagabond[6],
  De pavés florentins où traîner des rapières.

Puis je pris en dégoût le carton du décor[7],
Et maintenant, j'entends en moi l'âme du Nord
10 Qui chante, et chaque jour j'aime d'un cœur plus fort

Ton air de sainte femme[8], ô ma terre de Flandre,
Ton peuple grave et droit, ennemi de l'esclandre[9],
Ta douceur de misère où le cœur se sent prendre[10],

1. Variante : *Les pêches qu'un velours fragile couvre encor* ; 2. Variante : *Va chercher* ; 3. Publié dans *le Beffroi* (janvier 1900) ; 4. Lille, patrie du poète ; 5. C'est plus tard, en effet, que Samain connaîtra l'Espagne et l'Italie ; 6. Sous-entendu : *j'ai rêvé* ; 7. Pays dont la beauté paraît artificielle et truquée. Le décor est cependant grec et méditerranéen dans *Aux flancs du vase* ; 8. Les saintes femmes (la Vierge, Marthe et Marie-Madeleine) ont assisté au supplice du Calvaire et à la Mise au tombeau. La Flandre est résignée et courageuse comme elles ; 9. Le scandale tapageur ; 10. L'amour du poète pour sa Flandre fait penser à celui de Verhaeren : *Toute la Flandre, les Plaines, Epilogue* :
   > *Mon pays tout entier vit et pense en mon corps...*
   > *C'est la Flandre pourtant qui retient tout mon cœur.*

15 Tes marais, tes prés verts où rouissent les lins,
   Tes bateaux, ton ciel gris où tournent les moulins[1],
   Et cette veuve en noir avec ses orphelins[2]...

(*Le Chariot d'or.*
Édit. du *Mercure de France.*)

1. Cf. Verhaeren, « *le Moulin* » dans *les Soirs ;* **2.** La mère et les frères de Samain. —
Les sonnets irréguliers à quinze vers ne sont pas rares, chez lui. Ce sonnet à trois tercets
est le seul dans toute son œuvre.

RÉSUMÉ CHRONOLOGIQUE DE LA VIE D'H. DE RÉGNIER

(1864-1936)

1864. — Naissance à Honfleur (Calvados), le 24 décembre, de Henri-François-Joseph de Régnier.

1871. — Venu de bonne heure à Paris. Études au collège Stanislas, puis à l'École de droit, d'où il sort licencié.

1885. — Débute dans la revue *Lutèce* et collabore jusqu'en 1899 à toutes les revues symbolistes, françaises ou belges. Assidu du « jour » de Leconte de Lisle, puis des mardis de Mallarmé. — *Les Lendemains*, poèmes.

1886. — *Apaisement.*

1887. — *Sites.*

1888. — *Episodes.*

1890. — *Poèmes anciens et romanesques.*

1891. — *Episodes, sites et sonnets.*

1892. — *Tel qu'en songe.*

1893. — *Contes à soi-même.*

1894. — *Le Bosquet de Psyché.*

1895. — *Le Trèfle noir*, roman. *Poèmes* (1887-1892). *Aréthuse.*

1896. — Épouse Mlle Marie de Hérédia, deuxième fille de l'auteur des *Trophées*, connue en littérature sous le nom de Gérard d'Houville.

1897. — *Les Jeux rustiques et divins* (les *Roseaux de la flûte*, *Inscriptions pour les treize portes de la ville*, la *Corbeille des heures*, *Poèmes divers*). *La Canne de jaspe*, conte.

1899. — *Le Trèfle blanc.*

1900. — *Les Médailles d'argile.* — *La Double maîtresse*, roman.

1901. — *Les Amants singuliers*; les *Vacances d'un jeune homme sage* ; le *Passé vivant.*

1902. — *La Cité des Eaux.*

1906. — *La Sandale ailée.* — *Esquisses vénitiennes.*

1911. — *Le Miroir des heures* (1906-1910). Élu membre de l'Académie française.

1913. — *Pensées et souvenirs.*

1918. — *Poésies* (1914-1916, poèmes de la guerre).

1921. — *Vestigia flammae.*

1928. — *Flamma tenax.*

1936. — Meurt à Paris, le 23 mai.

H. de Régnier avait vingt-deux ans de moins que Mallarmé, vingt de moins que Verlaine, dix de moins que Rimbaud, neuf de moins que Verhaeren, six de moins que Samain, quatre de moins que Laforgue.

———————

H. DE RÉGNIER

NOTICE

(*Pour les* SYNCHRONISMES *voir Notice de* VERHAEREN, page 67.)

L'évolution de H. de Régnier. — Henri de Régnier est considéré comme la réussite la plus complète du symbolisme. Ses premiers recueils portent la marque de l'esthétique à la mode vers les années 1880-1885 : il use volontiers du symbole pour traduire sa vie intérieure et c'est le vers libre (souvent combiné avec l'alexandrin) qu'il adopte, dont la musique évocatrice s'accorde au chant secret des rêves. A partir des *Jeux rustiques et divins*, la manière du poète change sensiblement : elle s'amplifie et se simplifie. Jamais il ne consent à se raconter, à alimenter ses poèmes d'expériences présentées comme personnelles; mais l'expression est ici plus directe, tout en restant générale. C'est aux centaures, aux dryades, aux nymphes, aux sirènes, figures de ses rêves et non personnages authentiquement mythologiques qu'il confie le soin d'exprimer son âme et les visions de son univers. Sans renoncer au vers libéré, il revient alors volontiers à l'alexandrin, mais à un alexandrin délivré de toute contrainte, à la fois ferme et fluide.

Les thèmes lyriques. — L'obsession de la mer qui enseigne à l'homme la vanité de tout avec le calme et le repos, la saveur de l'amour, la beauté des bois, des fleuves, des forêts, la beauté des corps aussi; la pensée de la mort accueillie sans amertume, qui teinte de mélancolie sereine les meilleurs jours, mais qui donne aussi tout son prix à la vie, tels sont les thèmes familiers de cette poésie à la fois voluptueuse et triste. Le poète les a repris tout au long de son œuvre avec une somptuosité d'images, un art de renouveler les métaphores anciennes, une science du rythme, une harmonie à la fois cérémonieuse et nonchalante dans l'agencement des antithèses et des symétries et enfin avec un style tout ensemble dense et aérien qui font de lui un des plus grands artistes du symbolisme.

ODELETTE[1]

Un petit roseau m'a suffi
Pour faire frémir l'herbe haute
   Et tout le pré
   Et les doux saules
5 Et le ruisseau qui chante aussi;
Un petit roseau m'a suffi
A faire chanter la forêt.

Ceux qui passent l'ont entendu
Au fond du soir, en leurs pensées[2],
10 Dans le silence et dans le vent,
   Clair ou perdu,
   Proche ou lointain...
Ceux qui passent, en leurs pensées,
En écoutant, au fond d'eux-mêmes[3]
15 L'entendront encore et l'entendent
   Toujours qui chante.

   Il m'a suffi
De ce petit roseau cueilli
A la fontaine où vint l'Amour
20 Mirer, un jour,
   Sa face grave
   Et qui pleurait,
Pour faire pleurer ceux qui passent[4]
Et trembler l'herbe et frémir l'eau;
25 Et j'ai, du souffle d'un roseau,
Fait chanter toute la forêt.

      (*Les Jeux rustiques et divins.*
      Édit. du *Mercure de France.*)

LE JARDIN MOUILLÉ

La croisée est ouverte; il pleut[5]
Comme minutieusement,

---

1. Appartient à la partie du recueil intitulée *la Corbeille des heures* ; **2.** Où le chant de la flûte trouve des résonances; **3.** Vers sans rimes ni assonances; **4.** Correspondance entre cette fontaine où l'Amour vient « mirer sa face grave et qui pleure » et le chant de la flûte, éveilleur de nostalgie amoureuse; **5.** Pour les poèmes inspirés par la pluie, voir Verhaeren, « *la Pluie* » dans *les Villages illusoires* ; Ch. Guérin, « *Il a plu* » dans le *Cœur solitaire* ; Ch. van Lerbergue, « *Ma sœur la pluie* » dans *la Chanson d'Eve*, etc.

A petit bruit et peu à peu
Sur le jardin frais et dormant;

5   Feuille à feuille, la pluie éveille
L'arbre poudreux qu'elle verdit;
Au mur, on dirait que la treille
S'étire d'un geste engourdi.

L'herbe frémit, le gravier tiède
10   Crépite, et l'on croirait là-bas
Entendre sur le sable et l'herbe
Comme d'imperceptibles pas.

Le jardin chuchote et tressaille,
Furtif et confidentiel;
15   L'averse semble maille à maille
Tisser la terre avec le ciel.

Il pleut, et, les yeux clos, j'écoute,
De toute la pluie à la fois,
Le jardin mouillé qui s'égoutte
20   Dans l'ombre que j'ai faite en moi.

(*Les Médailles d'argile.*
Édit. du *Mercure de France.*)

LE BASSIN VERT

Son bronze qui fut chair l'érige en l'eau verdie,
Déesse d'autrefois triste d'être statue;
La mousse peu à peu couvre l'épaule nue,
Et l'urne qui se tait[1] pèse à la main roidie;

5 L'onde qui s'engourdit mire avec perfidie[2]
L'ombre que toute chose en elle est devenue,
Et son miroir fluide où s'allonge une nue
Imite inversement un ciel qu'il parodie.

Ce gazon toujours vert ressemble au bassin glauque.
10 C'est le même carré de verdure équivoque[3]
Dont le marbre ou le buis encadrent l'herbe ou l'eau.

1. L'eau est représentée par du bronze; elle est donc silencieuse; **2.** Le reflet, aux formes vagues et aux teintes foncées (*l'ombre*) trahit (cf. encore *parodie*) la forme réelle des objets; **3.** Parce qu'on distingue mal si c'est de l'herbe ou de l'eau.

Et dans l'eau smaragdine[1] et l'herbe d'émeraude,
Regarde, tour à tour, errer en ors rivaux
La jaune feuille morte et le cyprin[2] qui rôde.

(*La Cité des Eaux.*
Édit. du *Mercure de France.*)

LE SANG DE MARSYAS[3]

Le satyre Marsyas, « doux, pensif, secret et taciturne,... vivait à l'écart auprès d'un bois de pins. »

. . . .

Le jour,
Il s'en allait à travers champs partout où sourd
L'eau mystérieuse et souterraine;
Il connaissait toutes les fontaines :
5 Celles qui filtrent du rocher goutte à goutte,
Toutes,
Celles qui naissent du sable ou jaillissent dans l'herbe,
Celles qui perlent
Ou qui bouillonnent,
Brusques ou faibles,
10 Celles d'où sort un fleuve et d'où part un ruisseau,
Celle des bois et de la plaine,
Sources rustiques ou sacrées,
Il connaissait toutes les eaux
De la contrée.

15 Marsyas était habile au métier,
Roseaux!
De vous tailler :
A chaque bout de la tige, il coupait juste
Au bon endroit
20 Ce qu'il fallait pour qu'elle devînt
Syrinx[4] ou flûte;

---

1. = d'émeraude; **2.** Nom scientifique des poissons du genre carpe; **3.** Dédié à la mémoire de Mallarmé. — Le satyre Marsyas, joueur de flûte, lança un défi à Apollon, joueur de cithare et fut écorché vif par le dieu, quand les Muses eurent déclaré ce dernier vainqueur. Mais l'art du satyre l'avait emporté sur celui de son rival. C'est là un sujet traditionnel : dieux jaloux d'un mortel; cf. Artémis et Niobé, Athéna et Arachné, etc. Comparer avec « *le Satyre* » de V. Hugo (*Légende des siècles*); **4.** Flûte de pan.

Il y perçait des trous pour y poser les doigts
Et un autre plus grand
Par où l'on souffle
25 Avec la bouche
L'humble haleine qui, tout à coup, au bois divin
Chante mystérieuse, inattendue et pure,
S'enfle, rit, se lamente ou murmure.
Marsyas était habile et patient.
30 Il travaillait parfois à l'aube ou sous la lune
En caressant
Sa barbe brune
A poils d'argent.

Le soir, il allait s'asseoir sur la pente du mont, et, « en face de la nuit, du silence et de l'ombre, la chanson de sa flûte emplissait le bois sombre. »

. . . .
Ce fut alors
35 Qu'Apollon, traversant le pays d'Arcadie[1],
S'arrêta quelque temps chez les gens de Cellène.
La moisson faite, la vendange était prochaine,
Et, comme les grappes étaient lourdes
Et que les granges étaient pleines
40 Et qu'on était heureux,
On accueillit gaîment le Dieu
Porteur de lyre.
Il était beau à voir debout dans le soleil[2],
Touchant sa lyre d'or d'un grand geste vermeil,
45 Magnifique, hautain, solennel et content,
Auguste; il s'essuyait le front de temps en temps.
Les cordes de métal vibraient, fortes et douces,
Et l'écaille[3] ronflait et sonnait sous son pouce,
Et l'hymne s'élevait sur un mode sacré,
50 En cadence, dans l'air pacifique et pourpré,
Égale, harmonieuse et large; et, comme en feu,
La lyre d'or chantait sous le geste du Dieu.

Bergers et bûcherons vont chercher Marsyas pour le faire entendre au dieu... « Il vint..., il marchait vite, De son petit pas sec et prompt,

1. Massif montagneux et pays de pâturages dans le Péloponnèse; c'est le pays élu de la poésie bucolique; **2.** Notez l'antithèse avec le vers 64; **3.** La lyre primitive était faite d'une carapace de tortue.

Comme quelqu'un qui veut en avoir fini vite » ; il prend place modes-
tement en face d'Apollon.

. . . .

Marsyas chanta.
Ce fut d'abord un chant léger
55 Comme la brise éparse aux feuilles d'un verger,
Comme l'eau sur le sable et l'ombre sous les herbes.
Puis on eût dit l'ondée et la pluie et l'averse,
Puis on eût dit le vent, puis on eût dit la mer.
Puis il se tut, et sa flûte reprit plus clair
60 Et nous entendions vibrer à nos oreilles
Le murmure des pins et le bruit des abeilles,
Et, pendant qu'il chantait vers le soleil tourné,
L'astre plus bas avait peu à peu décliné ;
Maintenant Apollon était debout dans l'ombre,
65 Et dédoré, et d'éclatant devenu sombre,
Il semblait être entré tout à coup dans la nuit,
Tandis que Marsyas à son tour, devant lui,
Caressé maintenant d'un suprême rayon
Qui lui pourprait la face et brûlait sa toison,
70 Marsyas ébloui et qui chantait encor
A ses lèvres semblait unir un roseau d'or[1].

Tous écoutaient chanter Marsyas le satyre ;
Et tous, la bouche ouverte, ils attendaient le rire
Du Dieu et regardaient le visage divin
75 Qui semblait à présent une face d'airain,
Quand, ses yeux clairs fixés sur lui, Marsyas le fou
Brisa sa flûte en deux morceaux sur son genou.

Alors ce fut, immense, âpre et continuée,
Une clameur brusque de joie, une huée
80 De plaisir trépignant et battant des talons.
Puis tout, soudainement, se tut, car Apollon,
Farouche et seul, parmi les rires et les cris,
Silencieux, ne riait pas, ayant compris[2].

(*La Cité des Eaux.*
Édit. du *Mercure de France.*)

---

1. Le roseau est *d'or* parce qu'allumé par le soleil, mais l'épithète prend une valeur plus sub-
tile si on la rapproche du vers 52 : lyre *d'or* : l'art de Marsyas égale et dépasse celui d'Apollon ;
2. Qu'il était vaincu. — Dans la fin du poème, Marsyas, avant de périr, défie Apollon de
« retrouver son souffle et d'apprendre sa voix ».

VILLE DE FRANCE

Le matin je me lève, et je sors de la ville.
Le trottoir de la rue est sonore à mon pas,
Et le jeune soleil chauffe les vieilles tuiles,
Et les jardins étroits sont fleuris de lilas.

5 Le long du mur moussu que dépassent les branches,
Un écho que l'on suit vous précède en marchant,
Et le pavé pointu mène à la route blanche
Qui commence au faubourg et s'en va vers les champs.

Et me voici bientôt sur la côte gravie
10 D'où l'on voit, au soleil et couchée à ses pieds,
Calme, petite, pauvre, isolée, engourdie,
La ville maternelle aux doux toits familiers.

Elle est là, étendue et longue. Sa rivière
Par deux fois, en dormant, passe sous ses deux ponts;
15 Les arbres de son mail[1] sont vieux comme les pierres
De son clocher qui pointe au-dessus des maisons.

Dans l'air limpide, gai, transparent et sans brume,
Elle fait un long bruit qui monte jusqu'à nous :
Le battoir bat le linge et le marteau l'enclume,
20 Et l'on entend des cris d'enfants, aigres et doux...

Elle est sans souvenirs de sa vie immobile,
Elle n'a ni grandeur, ni gloire, ni beauté;
Elle n'est à jamais qu'une petite ville,
Elle sera pareille à ce qu'elle a été.

25 Elle est semblable à ses autres sœurs de la plaine,
A ses sœurs des plateaux, des landes et des prés;
La mémoire, en passant, ne retient qu'avec peine,
Parmi tant d'autres noms, son humble nom français;

Et pourtant, lorsque, après un de ces longs jours graves
30 Passés de l'aube au soir à marcher devant soi,
Le soleil disparu derrière les emblaves[2]
Assombrit le chemin qui traverse les bois;

---

1. Promenade publique plantée d'arbres; **2.** Terre où il y a du blé nouvellement semé ou déjà levé.

Lorsque la nuit qui vient rend les choses confuses
Et que sonne la route dure au pas égal,
35 Et qu'on écoute au loin le gros bruit de l'écluse,
Et que le vent murmure aux arbres du canal[1];

Quand l'heure, peu à peu, ramène vers la ville
Ma course fatiguée et qui va voir bientôt
La première fenêtre où brûle l'or de l'huile
40 Dans la lampe, à travers la vitre sans rideau,

Il me semble, tandis que mon retour s'empresse
Et tâte du bâton les bornes du chemin,
Sentir dans l'ombre, près de moi, avec tendresse,
La patrie aux doux yeux qui me prend par la main.

(*La Sandale ailée.*
Édit. du *Mercure de France.*)

IN MEMORIAM[2]

Je n'aime pas, ce soir, ce soleil qui se couche
En cette cendre grise où s'éteint l'horizon;
Le crépuscule amer laisse au fond de la bouche
L'âpre goût que les pleurs mêlent à son frisson.

5 Je n'aime pas l'odeur de ces roses qu'on cueille
Et qu'on tresse en couronne et qu'on noue en bouquets,
Ni le parfum que laisse à la main qu'elle endeuille
La violette née à l'ombre des cyprès.

Il y aura demain sur la colline verte
10 Une tombe nouvelle avec un nom nouveau,
Car la mort a soufflé sur la fleur entrouverte
Et l'orage pesant a brisé l'arbrisseau.

Si ton poids est léger à ceux que l'âge accable
Et qui virent le jour et le soir trop souvent,
15 Je te trouve bien lourde, ô terre inexorable,
Quand tu pèses[3] ainsi sur le corps d'un enfant!

(*Vestigia Flammae.*
Édit. du *Mercure de France.*)

---

1. Cette ville de France semble être plus particulièrement, à certains détails, une ville d'Ile-de-France; **2.** Ce titre est donné aux poèmes d'anniversaire pour un défunt ou à ceux qui sont dédiés « à leur mémoire »; **3.** La forme, ici sans apprêt, n'hésite pas à répéter plusieurs fois le même mot (cf. v. 12, v. 13).

JUGEMENTS

Un Baudelaire puritain, combinaison funèbrement drolatique, sans le talent net de M. Baudelaire, avec des reflets de M. Hugo et d'Alfred de Musset ici et là : tel est M. Paul Verlaine. Pas un zeste de plus. Il a dit quelque part, en parlant de je ne sais qui, cela du reste n'importe guère :

... Elle a
L'inflexion des voix chères qui se sont tues.

Quand on écoute M. Paul Verlaine, on désirerait qu'il n'eût jamais d'autre inflexion que celle-là.

Barbey d'Aurevilly,
Les Trente-Sept Médaillonnets du Parnasse contemporain.

Ce qui était en lui essentiel, c'étaient sa puissance de sentir, l'accent communicatif de ses douleurs, ses audaces, très nues, à la française, et ces beautés tendres et déchirantes qui n'ont d'analogue que dans un autre art, *l'Embarquement pour Cythère.*

Maurice Barrès, *Discours prononcé aux funérailles.*

La poésie de P. Verlaine, forme et pensée, est toute spontanée; c'est fondu à la cire perdue; elle est ou n'est pas. Rien n'y indique la retouche. La manière ne change pas, que l'inspiration soit religieuse ou libertine; c'est la même fluidité pure, que le ruisseau roule sur des herbes ou sur du gravier, et sa voix dit toujours la même chanson amoureuse, que son amour rie aux femmes ou aux anges, et c'est presque la même sensualité.

Rémy de Gourmont, *Promenades littéraires* (4ᵉ série).

P. Verlaine laisse un grand nom; mais je ne sais s'il laisse une œuvre... Il faut garder de Verlaine quelques vers isolés qui sont admirables... Les romantiques réclamaient la liberté de l'art : il l'a pratiquée, lui, et d'un zèle sauvage et fou. Il a perdu la langue, abîmé le style, et réduit à rien la pensée. D'un si profond degré d'humiliation, tout esprit généreux n'a pu que rebondir vers la lumière, l'ordre, la force, la grâce virile et les autres disciplines de la beauté.

Ch. Maurras,
Trois Études : Brunetière, Barrès, Verlaine.

Muni de rimes obtenues par des temps de verbes, quelquefois même par de longs adverbes précédés d'un monosyllabe d'où ils tombaient comme du rebord d'une pierre, en une cascade pesante d'eau, son vers, coupé par d'invraisemblables césures, devenait souvent singulièrement abstrus, avec ses ellipses audacieuses et ses étranges incorrections qui n'étaient point cependant sans grâce...

Mais sa personnalité résidait surtout en ceci : qu'il avait pu exprimer de vagues et délicieuses confidences, à mi-voix, au crépuscule. Seul, il avait pu laisser deviner certains au-delà troublants d'âme, des chuchotements si bas de pensées, des aveux si murmurés, si interrompus que l'oreille qui les percevait demeurait hésitante, coulant à l'âme des langueurs avivées par le mystère de ce souffle plus deviné que senti. Tout l'accent de Verlaine était dans ces adorables *Fêtes galantes* :

> Le soir tombait, un soir équivoque d'automne, etc.

Ce n'était plus l'horizon immense ouvert par les inoubliables portes de Baudelaire; c'était, sous un clair de lune, une fente entrebâillée sur un champ plus restreint et plus intime.

J.-K Huysmans, A rebours.

C'était un barbare, un sauvage, un enfant...

Seulement, cet enfant a une musique dans l'âme, et à certains jours, il entend des voix que nul avant lui n'avait entendues...

Poésie vague, très naïve et très cherchée..., la poésie de M. Verlaine représente pour moi le dernier degré soit d'inconscience, soit de raffinement que mon esprit infirme puisse admettre.

J. Lemaitre, les Contemporains (4e série).

Tu ne sortiras pas du monde obscur des sensations et, te déchirant toi-même dans l'ombre, nous entendrons ta voix étrange gémir et crier d'en bas, et tu nous étonneras tour à tour par ton cynisme ingénu et par ton repentir véritable...

Sur *les Fêtes galantes* : Verlaine, qui est de ces musiciens qui jouent faux par raffinement, a mis bien des discordances dans ces airs de menuet, et son violon grince parfois effroyablement, mais soudain tel coup d'archet vous déchire le cœur. Le méchant ménétrier vous a pris l'âme.

Sur *la Bonne chanson* : ... Des vers ingénus, très simples, obscurs, infiniment doux. Il était fiancé alors, et le plus tendre, le plus chaste des fiancés. Les satyres et les faunes doivent chanter ainsi lorsqu'ils sont très jeunes, qu'ils ont bu du lait et que la forêt s'éveille dans l'aube et dans la rosée.

Sur *Sagesse* : Nulle pensée humaine, rien d'intelligent n'a troublé son idée de Dieu. Nous avons vu que c'était un faune. Ceux qui ont lu les vies des saints savent avec quelle facilité les faunes, qui sont très simples, se laissaient convertir au christianisme par les apôtres des gentils... Il retrouva les accents d'un saint François et d'une sainte Thérèse.

A. France,
la Vie littéraire (tome III).

Verlaine qui vas titubant,
Chantant et semblable au dieu Pan
            Aux pieds de laine,
Es-tu toujours simple et divin,
Ivre de ferveur et de vin,
            Bon saint Verlaine?

> Comtesse de Noailles,
> *l'Ombre des jours.*

Tout le vice possible avait respecté, et peut-être semé ou développé en lui cette puissance d'intention suave, cette expression de douceur, de ferveur, de recueillement tendre, que personne n'a donnée comme lui, car personne n'a su comme lui dissimuler ou fondre les ressources d'un art consommé, rompu à toutes les subtilités des poètes les plus habiles, dans des œuvres d'apparence facile, de ton naïf, presque enfantin... Ce naïf est un primitif organisé, un primitif comme il n'y avait jamais eu de primitif et qui procède d'un artiste fort habile et fort conscient.

> P. Valéry, *Villon et Verlaine.*

SUR RIMBAUD :

L'homme est en dehors en quelque sorte de l'humanité, et sa vie en dehors et au-dessus de la commune vie. Tant l'œuvre est géante, tant l'homme s'est fait libre, tant la vie passa fière, si fière qu'on n'a plus de ses nouvelles et qu'on ne sait pas si elle marche encore. Le tout, simple comme une forêt vierge et beau comme un tigre. Avec des sourires et de ces sortes de gentillesses!

> Verlaine, *les Hommes d'aujourd'hui.*

Si le *Bateau ivre* rappelle en intention *le Voyage* (de Baudelaire), cela n'empêche pas l'œuvre d'être personnelle, d'être jaillie du fond même de Rimbaud et d'avoir en elle l'originalité inhérente et nécessaire au chef-d'œuvre. Là Rimbaud est comme sur le seuil de sa personnalité : sorti des limbes et des éducations, il s'aperçoit et s'apparaît en grandes lignes, d'un coup : c'est évidemment de beaucoup le plus beau de ses poèmes, des quelques-uns destinés à vivre...

C'est par cette habileté verbale et pour sa franchise à présenter des rêveries féeriques et hyperphysiques comme de simples états d'âme, à les démontrer états d'âme ou d'esprit, et justement, puisque son esprit les contenait, que Rimbaud vivra. Il a été un des plus beaux servants de la Chimère. Il a été un idéaliste, sans bric-à-brac de passé, sans étude traînante vers des textes trop connus. Il a été neuf sans charabia. Il a été un puissant créateur de métaphores. On ne pourra regretter en cette œuvre que son absence de maturité et aussi sa brièveté.

> G. Kahn, *Revue blanche* (août 1898).

Il a la sincérité du génie. Il n'a pas envisagé la poésie comme un moyen de parvenir. Elle a été pour lui un exutoire du malaise que lui causait la vie sociale. Il a cherché à se libérer par elle d'une souffrance physiologique et cette houle déferle à travers les strophes du *Bateau ivre* ; c'est une houle intérieure dont le ressac sur sa sensibilité le blessait et qui a trouvé dans l'appareil prosodique un moyen de s'épandre au dehors.

Jules de Gaultier,
Mercure de France (1er mars 1924) : *la Double personnalité d'A. Rimbaud*, où il montre que les deux aspects de la vie de Rimbaud, poète, puis aventurier, ne prouvent pas qu'un abîme se soit creusé entre deux parts de sa personnalité, mais qu'un principe directeur explique cette prétendue dualité : une incompatibilité foncière entre sa propre nature et la « nature sociale ».

SUR MALLARMÉ :

A chacun de ses vers il s'est efforcé d'attacher plusieurs sens superposés. Chacun de ses vers, dans son intention, devait être à la fois une image plastique, l'expression d'une pensée, l'énoncé d'un sentiment et un symbole philosophique ; il devait être comme une mélodie et aussi un fragment de la mélodie totale du poème ; soumis avec cela aux règles de la prosodie la plus stricte, de manière à former un parfait ensemble, et comme la transfiguration artistique d'un état d'âme complet.

Téodor de Wyzewa, *Nos maîtres.*

Certes, Stéphane Mallarmé est un auteur obscur. Il le serait par la nature même de son génie qui est tout de transposition et de symboles, s'il ne l'était pas par le style hautement rationnel qu'il s'est créé en dehors et au-dessus de l'usage ambiant. L'entente avec lui est longue, difficile et délicate. Il y a dans une page ou dans un vers de Mallarmé tous les éléments nécessaires à sa clarté ; seulement ils s'y trouvent épars, situés au lieu exact de leur utilité pour l'élégance graphique de la phrase. Il faut apprendre Mallarmé aux dépens de certaines habitudes dont il exige qu'on se départisse envers lui... Tout être a sa mimique individuelle comme tout esprit ses gestes alphabétiques dont il faut savoir la convention. Tout livre contient une langue à épeler. Qu'on lise Racine ou Shakespeare, il en est ainsi... Il n'est rien d'illisible à qui veut lire.

H. de Régnier,
Revue de Paris (1er octobre 1898).

Ses petites compositions merveilleusement achevées s'imposaient comme des types de perfection, tant les liaisons des mots avec les mots, des vers avec les vers, des mouvements avec les rythmes étaient assurées ; tant chacune d'elles donnait l'idée d'un objet en quelque sorte absolu, dû à un équilibre de forces intrinsèques, soustrait par un prodige de combinaisons réciproques à ces vagues velléités de retouches et de changements que l'esprit, pendant ses lectures, conçoit inconsciemment devant la plupart des textes.

Valéry, Variétés, II.

Dans la poésie pure de Mallarmé, l'initiative est laissée aux mots, comme dans la mystique du pur amour l'initiative est laissée à Dieu. Au principe d'un poème il y a bien un schème, un ton émotif, un vide réceptif, une disponibilité, comme au principe du pur amour il y a toujours l'individu. Sur ce schème, pour le faire passer à l'être, agissent l'incantation et la magie transfiguratrice des mots, que le poète convoque et à l'opération de qui il s'abandonne. Mais tandis que les mots débordaient chez Hugo en un fleuve puissant, s'épandaient chez Banville en une rivière facile, ils gouttent chez Mallarmé sous un climat inhumain, forment lentement les stalactites d'une poésie miraculeuse.

A. Thibaudet,
Histoire de la littérature française de 1789 à nos jours.

SUR LAFORGUE :

De ses vers, beaucoup sont roussis par une glaciale affectation de naïveté, parler d'enfant trop chéri, de petite fille trop écoutée, mais signe aussi du vrai besoin d'affection et d'une pure douceur de cœur;... beaucoup ont la beauté des topazes flambées, la mélancolie des opales, la fraîcheur des pierres de lune.

R. de Gourmont, le Livre des masques.

Il fut le génie de l'ingénuité ironique. Deux tendances luttaient en lui : l'amour de la vie et le mépris de la vie... Nul ne fut plus tendre que Laforgue et nul n'analysa plus désespérément les sentiments qui le consolaient d'être trop intelligent et de voir, d'entendre, au-delà des choses, ce qui prouve leur inconsistance.

Toute sa poésie est la parodie de sa sensibilité profonde.

R. de Gourmont,
Promenades littéraires (4e série).

Ce qu'il a, je crois, le plus clairement aperçu dans une beauté et une vérité inattendues, c'est une sorte de sourire puéril et divin qui est peut-être au fond de toutes nos actions et qu'on pourrait nommer le sourire de l'âme.

Maeterlinck,
dans son Introduction au Jules Laforgue de C. Mauclair.

SUR VERHAEREN :

Verhaeren est l'évocateur sincère d'une réalité idéalement représentée.

H. de Régnier, Revue blanche (mars 1895).

La sorte d'objectivité que je trouve en M. Verhaeren n'est pas celle que l'on a coutume d'observer. Elle ne consiste pas à faire abstraction de ses propres idées devant un spectacle réel et de le décrire avec exactitude, à la manière, par exemple, de M. Huysmans. M. Verhaeren procède à une opération préalable; il envoie en avant ses sentiments, ses idées, il les mêle intimement aux choses qu'il va décrire; et c'est ce mélange qui forme le tableau singulier et énigmatique qu'il transpose dans ses vers.

R. de Gourmont,
Promenades littéraires (1re série).

L'œuvre de Verhaeren, large et haute, d'une noblesse native, est faite de cette ubiquité idéale sans quoi il n'y a pas de génie; mais elle ne laisse de fleurer bon le terroir des aïeux; au contraire de ces spécialistes provinciaux qui crurent fortifier leur plus chétif génie d'un scrupule, sans doute respectable, d'ethnologie géographique, Verhaeren élargit de son souffle l'horizon de la petite patrie et comme le fit Balzac de son ingrate et douce Touraine, il annexa aux plaines flamandes le beau royaume humain de son idéal et de son art.

Francis Vielé-Griffin,
Verhaeren dans *les Hommes d'aujourd'hui*, Vanier.

Art dionysiaque, eût dit Nietzsche, mais d'une sorte particulière par son intensité; art rebelle à la mesure, mais d'une vertu dynamique extraordinaire. A chaque fois le poète se donne tout entier. Chaque strophe équivaut moralement à un spasme. Les sensations apparaissent à leur suprême degré de violence, à leur *paroxysme* et la forme les exprime avec un éclat de métal, discordante s'il le faut, tendant son énergie jusqu'à son extrême vigueur. Art aigu, art nerveux, qui saisit la vérité comme au piège... Les images s'allument comme des pièces d'artifice. Leur feu nous éblouit avant qu'il nous éclaire. L'idée bondit tout à coup et elle frappe. A peine l'avons-nous aperçue que nous en sentons le choc...

La forme miroitante de Verhaeren, comme ses rudes instincts, avait on ne sait quoi de sauvage; son langage déconcertait par cent néologismes intrépides où l'adverbe tenait bizarrement la place d'un substantif... Il fut le Barbare déchaîné dans nos lettres.

A. Mockel, *Verhaeren, poète de l'énergie.*

Relisant l'œuvre de Verhaeren, je cherche ce qui la caractérise. Et je la sens pénétrée de part en part, et plus qu'aucune autre sans doute, par une extraordinaire, une inlassable force de sympathie. Oui, je crois que c'est là le trait le plus marquant de cette grande figure : l'accueil — l'accueil à tout ce qui se présentait à lui. Un irrésistible élan l'entraînait sans cesse hors de lui, qu'aucune considération n'arrêtait, d'intérêt personnel, de protection ni de prudence.

A. Gide, *Verhaeren.*

Sur Samain :

Un poète d'automne et de crépuscule, un poète de douce et morbide langueur, de noble tristesse... On respire tout le long de son livre l'odeur faible et mélancolique, le parfum d'adieu des chrysanthèmes à la saint Martin... Je crois bien que M. Albert Samain, qui a peut-être lu mes *Intimités*, doit beaucoup, héréditairement, à Baudelaire, à Verlaine et à ce symphonique et mystérieux Mallarmé.

Fr. Coppée,
Article sur *Au Jardin de l'Infante* (*le Journal*, 15 mars 1894).

Samain n'a pas été un précurseur. Il n'a point poussé la poésie vers l'orient des terres promises et des conquêtes nouvelles. Il n'a rien inventé, rien découvert ni dans la forme, ni dans le fond, ni même dans le rythme. Son originalité réside dans son éclectisme et sa sagesse...

L'aboutissement des variations de la poésie au XIXe siècle, avec ses tendances disparates, ses nouveautés hardies et son élargissement final s'est condensé dans ce poète.

Il clôt son âge et le résume.

Dans le chœur nombreux des poètes de son époque, instrumentant à l'unisson de l'orchestre, mais sans qu'elle pût s'y confondre ou s'y perdre, Samain a chanté d'une voix pure, grave et confidentielle où persiste un lointain sanglot. Triste et solennelle, comme si elle montait, le soir, du fond d'une clairière, elle a, cette voix, son timbre bien distinct et telles sonorités expressives à ne point se méprendre. Elle se reconnaît à un tremblement de volupté languide et plus souvent à un frisson séraphique, immatériel, éperdu et mourant.

A. Bocquet,
A. Samain, sa vie, son œuvre (*Mercure de France*, 1905).

Samain n'est pas Parnassien. Il eut le culte de la forme, mais il n'en fut jamais idolâtre; il n'en fut en tout cas jamais l'esclave... Il eut ce mérite insigne de ne pas ravaler la poésie au rang d'un procédé descriptif et de lui conserver ses fins et son caractère sacrés d'art chanté... Ni la rhétorique rimée, ni la poésie purement architecturale et plastique ne pouvaient lui suffire. Seule, la substance aérienne des sonorités avait quelque chance d'exprimer entièrement les élans clandestins d'un mysticisme douloureux.

R. Rousseau,
la Pensée poétique d'A. Samain (*Mercure de France*, 15 oct. 1920).

Sur H. de Régnier :

Les vers faibles, sans rythme ou sans couleur, sont extrêmement rares dans son œuvre; sa poésie, aux mouvements bien réglés, s'enroule d'un pas hiératique et mesuré autour d'une idée ou d'un sentiment, comme une procession autour d'une basilique. Et ce sont des lumières, des orfèvreries, des soies qui éclatent ou luisent, cependant qu'un chant profond assure la régularité des gestes et qu'une pensée divine pacifie les visages...

S'il n'est pas le plus « poète » de nos poètes, il est le plus parfait, celui qui représente le mieux à cette heure (1901) la tradition du vers français considéré comme la mesure du goût esthétique, de notre sensibilité verbale.

R. de Gourmont,
Promenades littéraires (1re série).

Le vers de H. de Régnier est d'une souplesse infinie, quoique son apparence s'atteste tout d'abord souvent solennelle un peu : soit que l'alexandrin s'éploie jusqu'en ses plus hautaines attitudes, soit qu'il se brise et ondule, soit encore que les vers libres chantent doucement ou avec fièvre une pensée qui semble ne chercher son rythme qu'en elle-même. Tout à la fois ferme et liquide, sonore et mystérieux, son vers, rien qu'en sa musique, se révèle de lui : mais plus encore la composition de chacun de ces poèmes est d'une sûreté et d'une discrétion où l'on retrouve la suprême vertu du génie français, ce que le grand Rameau appelait « cacher l'art par l'art même ».

G.-Jean Aubry,
Mercure de France (1er février 1911).

H. de Régnier nous paraît la personnalité poétique la plus complète, la plus souple et la plus variée du mouvement symboliste. Avec un vocabulaire pauvre, de la monotonie dans les tours, de la nonchalance, du hasard ou du remplissage dans ses thèmes, il séduit profondément par sa musicalité continue, son don extraordinaire de rendre moelleuse et sensuelle la substance verbale. Un opportunisme intelligent, sans abdication ni concession, lui a permis de passer d'un gracieux vers libéré, plutôt que libre, aux plus belles et aux plus nobles formes du sonnet et de la stance.

A. Thibaudet,
Histoire de la littérature française de 1789 à nos jours (1936).

QUESTIONS

VERLAINE

Nevermore (p. 13) :

. — Le thème traité ici par Verlaine ne l'a-t-il pas été par les romantiques ?

— Pourquoi Verlaine oppose-t-il l'automne (premier quatrain) au printemps évoqué au deuxième tercet ?

— Effet produit par les quatre rimes féminines au premier quatrain.

Après trois ans (p. 13) :

— Comparer ce poème du souvenir au *Lac* de Lamartine, à *la Tristesse d'Olympio* de V. Hugo, au *Souvenir* de Musset et à la pièce de Baudelaire « *Je n'ai pas oublié...* »

— Montrer les différences d'exécution : sobriété, discrétion, intimisme de la pièce de Verlaine. Le décor bourgeois au lieu du lac et de la forêt.

— Pourquoi le sonnet se termine-t-il par l'évocation d'un petit détail ?

Mon rêve familier (p. 14) :

— L'image que Verlaine se fait de la femme dans ce poème : compréhensive, consolatrice, être d'élection, être de mystère ; comparer avec Vigny, *la Maison du Berger* (III).

— Étudier dans le dernier tercet la structure et la sonorité de la phrase, les coupes, l'enjambement. Quel est l'effet produit ?

Soleils couchants (p. 14) :

— La combinaison des rimes dans ce poème.

— Les rappels de mots, et en particulier de *soleils couchants*.

— Quel lien entre les huit derniers vers et les huit premiers (soleils couchants *vus*, soleils couchants *rêvés*) ?

Chanson d'automne (p. 15) :

— La poésie musicale dans ce poème d'après : 1º le choix de la strophe et du mètre ; 2º le rythme : son mouvement languide et balancé ; 3º les rimes. Sonorités prédominantes.

— En quoi pareille poésie rompt-elle avec les habitudes romantiques et parnassiennes ?

L'heure du berger (p. 15) :

— L'impressionnisme dans cette pièce.

— L'atmosphère dans la première strophe.

— Comment Verlaine peint-il le silence (absence de sensations auditives, sauf au v. 3) ?

— Comment rend-il l'envahissement du paysage par les ténèbres (*verts, incertains, lueurs sourdes, nuit*) ?

CLAIR DE LUNE (p. 16) :
— Montrer l'importance du premier vers.
— Le symbolisme de cette pièce rimée selon la stricte observance parnassienne.
— Effet tiré des reprises aux vers 9 et 14.

PANTOMIME p. 16) :
— Rapprocher cette pièce de *la Fête chez Thérèse*, de Victor Hugo (*Contemplations*), et des *Variations sur le carnaval de Venise* de Th. Gautier.
— Fantaisie et poésie dans cette évocation : opposez la quatrième strophe aux trois premières.

SUR L'HERBE (p. 17) :
— La fantaisie dans ce court poème.
— S'inspire-t-il autant que les autres de Watteau ?

MANDOLINE (p. 17) :
— L'inspiration de Watteau : le paysage, l'atmosphère, les attitudes des personnages.
— La « nuance » dans les cinq derniers vers. Expliquez en particulier les adjectifs *rose* et *grise* appliqués à la lune.
— Vers 4 : pourquoi *chanteuses* est-il supérieur ici à un participe comme *chantant* ou *chantantes* ?

COLLOQUE SENTIMENTAL (p. 18) :
— Montrez que le thème est l'opposé de celui du *Souvenir* d'A. de Musset.
— Pourquoi l'évocation imprécise du décor (v. 1, v. 5, v. 15) ?
— Justifiez l'emploi du mot *âme* au vers 10.
— Effet produit par les courtes réponses des vers 10 et 12.

LA LUNE BLANCHE (p. 19) :
— Quelles sensations a choisies Verlaine et comment derrière la sensation se cache le sentiment ?
— Pourquoi Verlaine emploie-t-il le vers de quatre syllabes, et pourquoi sépare-t-il les vers 6, 12, 18 ?

LE FOYER, LA LUEUR (p. 20) :
— Verlaine poète intimiste.
— Comparer avec Fr. Coppée, *Promenades et Intérieurs*.
— Les éléments de ce tableau d'intérieur. L'atmosphère.

N'EST-CE PAS ? EN DÉPIT DES SOTS... p. 20) :
— Étudier le vocabulaire et les images qui traduisent la sérénité et la confiance.
— Vers 6 et suivants, vers 12, 15 : ne sent-on pas ici que Verlaine a quelques griefs à formuler vis-à-vis de l'opinion publique ?
— Étude des rejets.

DONC, CE SERA... (p. 21) :

— Quelle est l'atmosphère morale du poème ?

— Comment Verlaine exprime-t-il la complicité de la nature favorable à ce bonheur radieux ?

IL PLEURE DANS MON CŒUR (p. 23) :

— Quelle correspondance établit le poète dans les deux premiers vers ?

— La musicalité : les sons *eu, ui, i, ai.*

— Versification : si le deuxième vers de chaque strophe ne rime pas, n'y a-t-il pas d'une strophe à l'autre des assonances : vers 2 avec vers 5 et 8, vers 6 avec vers 14, vers 10 avec vers 1 et 3 ?

— Rôle des assonances (v. 1, v. 5, v. 10) et des répétitions de mêmes mots à la rime. Quelle impression Verlaine veut-il ainsi donner ?

— Expliquer ce jugement de P. Martino *(Verlaine)* : « Le charme de cette poésie si simple, sans effets, sans mots, vient de ce que l'impression du poète, quoique chargée évidemment de tristesses anciennes, ne s'accroche à rien de précis dans la réalité, hormis à la sensation de la pluie qui tombe. »

O TRISTE, TRISTE ÉTAIT MON ÂME (p. 23) :

— Retrouver dans ce poème les plus frappantes caractéristiques du « lied » verlainien.

CHARLEROI (p. 24) :

— L'impressionnisme : étudiez la juxtaposition des sensations, auditives, visuelles, tactiles, olfactives.

— La poésie des usines et de la banlieue : strophes 2 à 6. — Comparez avec Verhaeren et établissez les différences.

— Les tours populaires et elliptiques : vers 5, 13, 16, 19. — Comment les justifiez-vous ?

CHEVAUX DE BOIS (p. 25) :

— Montrer que Verlaine n'a pas seulement évoqué une fête foraine, mais que la pièce est bien une « romance sans paroles ».

— Le mouvement de la pièce : comment il est fortement imprimé dès la première strophe ?

— Comment la vision se spiritualise-t-elle dans les deux dernières strophes ?

GREEN (p. 26) :

— L'amour et le sentiment de la nature s'unissent-ils ici de même façon que dans les pièces, romantiques ou autres, que vous connaissez ?

SAGESSE D'UN LOUIS RACINE (p. 28) :

— Par quels moyens Verlaine évoque-t-il la physionomie du grand siècle finissant ?

— Quels traits lui accorde-t-il ?

NON, IL FUT GALLICAN (p. 28) :

— Étudier les termes dont Verlaine qualifie le moyen âge.

— Le moyen âge est-il effectivement la période qui conviendrait au tempérament de Verlaine ?

— Le thème de la cathédrale en littérature : Chateaubriand (*Génie du christianisme*), Victor Hugo (*Notre-Dame de Paris*), Michelet (*Histoire de France : Moyen âge*), Huysmans (*la Cathédrale*), P. Claudel (*l'Annonce faite à Marie*).

ÉCOUTEZ LA CHANSON BIEN DOUCE (p. 29) :

— Comment la pièce se rattache-t-elle à l'inspiration générale de *Sagesse* ?

— La sensibilité de Verlaine. Montrer que, par sa discrétion, Verlaine a écrit là un poème d'une portée générale.

— Pourquoi la pièce est-elle écrite tout entière en rimes féminines ?

MON DIEU M'A DIT (p. 30) :

— L'inspiration chrétienne de cet ensemble : humilité et contrition.

— L'allure dramatique du dialogue : le mouvement, l'accent de plus en plus impérieux de Jésus, les différentes phases dans les sentiments du pécheur : élans, craintes, retours sur soi, trouble délicieux.

— La simplicité de la forme : beauté limpide des images (v. 18, 22, 24, 48, 60, 61). Le langage mystique (v. 2, 9, 10, 19, 20, 26, 45, 47). Le vocabulaire suggestif : pourquoi le choix de *chèvre* (v. 34), *lièvre* (v. 35), *serpolets* (v. 36), *mange* (v. 58) ?

— Expliquer les rapprochements de mots contradictoires dans le dernier sonnet : vers 71-72, 73, 75, 78, 79, 81, 84. Que nous révèlent-ils de l'âme de Verlaine ?

— Souplesse de la versification : effets divers des rejets et des enjambements : vers 1, 4, 6, 30, 31, 32, 45, 46, 61, 62, 72, 76, 81.

— L'alternance des vers ternaires et des alexandrins classiques dans le premier sonnet.

GASPARD HAUSER CHANTE (p. 33) :

— Qu'est-ce que Verlaine a mis de lui-même dans ce poème ?

— Définissez l'ironie émouvante de la pièce (cf. les poèmes de J. Laforgue).

LE CIEL EST PAR-DESSUS LE TOIT (p. 34) :

— Différence d'inspiration avec les sonnets « *Mon Dieu m'a dit...* » dans cette pièce qui est aussi d'après la conversion.

— Comment, pour le sentiment, la troisième strophe s'enchaîne-t-elle avec les deux premières, et la quatrième (en définir le mouvement et le ton) avec la troisième ?

— Est-ce une véritable description du paysage que Verlaine fait aux vers 1-8 ?

— Quels mots sont destinés à donner une impression générale de douceur et de paix : verbes, substantifs, adjectifs (v. 2, 4, 6, 8)?

ART POÉTIQUE (p. 36) :

— En quoi Verlaine s'oppose-t-il aux romantiques?

— En quoi rompt-il avec les Parnassiens? Comparer avec *l'Art* de Th. Gautier.

— *L'Art poétique* définit-il l'art personnel de Verlaine? A-t-il pratiqué les principes formulés aux vers 2, 6, 16, 20, 21-22, 29-35?

— Pourquoi les Symbolistes de 1885 ont-ils fait leur cet *Art poétique*? Le morceau contient-il tout le programme du Symbolisme?

— L'expression : la poésie, les familiarités; montrer comment les images sont toujours une illustration de la pensée; cf. vers 9-13, 18-20 (incorrection du v. 20), 25-27, 29-31. — Effets que Verlaine a tirés du vers de neuf pieds.

LANGUEUR (p. 37) :

— M. Le Dantec estime (*Verlaine : Poésies complètes*, édition de la Pléiade) que « cette pièce marqua une date dans l'évolution de la nouvelle poésie ». Dites pourquoi.

A. V. HUGO :

— Expliquer le changement d'attitude de Verlaine vis-à-vis de V. Hugo.

— Le ton du sonnet.

ALLÉGORIE (p. 38) :

— Montrer comment l'impression de torpeur et d'engourdissement est obtenue : *a)* par le vocabulaire; *b)* par les images.

— Le symbolisme des vers 13-14.

A LA MANIÈRE DE P. VERLAINE (p. 39) :

— Quels traits, caractéristiques de sa manière, Verlaine pastiche-t-il ici?

— Comment à cette caricature a-t-il su mêler la confidence?

RIMBAUD

TÊTE DE FAUNE (p. 46) :

— En quoi le thème est-il parnassien?

— Rimbaud coloriste (cf. v. 1, 2, 6, 7).

— La versification : variété des césures, assonances des rimes dans la dernière strophe.

MA BOHÈME (p. 46) :

— Quelle idée peut-on se faire de la vie de Rimbaud entre la seizième et la vingtième année?

— Relevez le mélange de réalisme (v. 1, 5) et de fantaisie (v. 6, 7), d'idéal (v. 3, 10, 11, 12) et de vulgarité (v. 4, 13, 14).

— Pourquoi la comparaison du vers 13 et le rapprochement au vers 14 des mots *pied* et *cœur* ?

BATEAU IVRE (p. 47) :

— Montrer que ce n'est pas une description, mais une suite de visions, juxtaposées comme dans le rêve (Rimbaud n'a pas encore vu la mer à dix-sept ans). Les contrastes dans ces visions.

— Composition du poème : mouvement de l'ensemble ; comment les trois dernières strophes se relient au reste ? « La résignation navrée des derniers vers » (J. de Gaultier).

— Les images et les transpositions : leur puissance d'évocation.

— Le thème de l'évasion dans *Bateau ivre :* comparer avec le *Voyage* de Baudelaire.

— Étude de la versification : coupes et rythmes, vers 8, 10, etc. ; sonorité : vers 24, 28, etc.

VOYELLES (p. 50) :

— Voyez-vous, personnellement, les voyelles de la couleur que leur attribue Rimbaud ? Que pensez-vous de ces « correspondances » de sons et de couleurs ?

— Essayez d'expliquer les vers 6, 9 (cf. *Bateau ivre*), 11, 14. Ne pas oublier que Rimbaud juxtapose simplement ses visions.

MALLARMÉ

APPARITION (p. 54) :

— Étudier la « correspondance » du vers 4 ; les correspondances de parfums, vers 4, 7, 16.

— La musique des vers 4, 9, 16. Montrer comment dans cette poésie de jeunesse (1862) Mallarmé manie en maître les coupes et les enjambements.

L'AZUR (p. 54) :

— Différence entre ce thème et d'autres thèmes, en apparence voisins (*la Tristesse d'Olympio* de Hugo, par exemple).

— Analyser les différents mouvements de la pièce : qu'a-t-elle de *classique* dans sa composition ?

— Expliquer *sereine* (v. 1), *indolemment* (v. 2), *atterrant* (v. 6), *mépris* (v. 8), *native agonie* (v. 34). Valeur symbolique des vers 17-20. Place expressive du mot *ancien* (v. 33).

LE TOMBEAU D'EDGAR POE (p. 56) :

— D'où vient la beauté — très différente — des vers 1 et 12 ?

— Montrer que l'art de Mallarmé rejoint les procédés connus de la périphrase (v. 8).

— Pourquoi ce « Tombeau » peut-il être justement qualifié de « granit » (= vigueur et solidité) à la fin du sonnet ?

— La vision de l'ange-poète et l'idée de paradis perdu par le vulgaire.

Le Vierge, le vivace... (p. 56) :

— Rechercher les causes de l'obscurité dans : 1º la superposition des sens ; 2º la syntaxe ; 3º la succession des images.

— La couleur générale du poème, sorte de symphonie en blanc majeur. Dites ce que la blancheur symbolise pour Mallarmé.

— Sonorité prédominante du morceau : rôle de la voyelle *i*. Expliquer le jugement de Remy de Gourmont *(Livre des masques)* : « Oh ! ce sonnet du *Cygne* où tous les mots sont blancs comme de la neige ! »

LAFORGUE

Les Têtes de morts (p. 60) :

— Avec quelle originalité Laforgue reprend-il le thème de la mort ?

— Qu'y a-t-il de pascalien dans le sonnet ?

Complainte d'un autre dimanche (p. 60) :

— Comment est traité ce paysage parisien : le réalisme impressionniste.

— Comparer avec les paysages parisiens de Baudelaire et de Coppée.

Complainte sur certains ennuis (p. 61) :

— Étudier plusieurs thèmes essentiels de Laforgue et voir comment ils s'enchaînent :

1º La poésie cosmique, inspirée par le crépuscule ; 2º la médiocrité et la monotonie de la vie humaine ; 3º l'âme consolatrice difficile à trouver. La femme, être superficiel.

Complainte des débats mélancoliques et littéraires (p. 62)

— La poésie amoureuse de Laforgue d'après ce poème ; rapprocher de « *Solo de lune* » dans l'*Imitation de Notre-Dame la Lune*.

— Le vocabulaire et les tours familiers : quel accent donnent-ils à la pièce ?

— Dites en quoi les vers 25-26 diffèrent du ton des autres vers.

Encore un livre (p. 64) :

— Démêler les divers sentiments qui se succèdent dans le poème.

— La gouaillerie de Laforgue : le ton et le vocabulaire.

Dimanches (p. 64) :

— Qu'est-ce qui confère à cette pièce l'allure d'une chanson populaire ? Simplification extrême des sentiments et des gestes, personnage mû par une force irrésistible.

— D'où vient le pathétique ?

— L'évocation du paysage : silence et vide des berges.

VERHAEREN

Les moines (p. 69) :

— L'allure de la litanie dans ce poème : par quoi est-elle obtenue ?
— Qu'est-ce qui, dans les images, rappelle la litanie : vers 2, 3, 6, 9-10, 17, 22-23 ?
— La marque parnassienne dans le poème (le recueil parut chez Lemerre, éditeur des Parnassiens).

Le Moulin (p. 69) :

— Comment, dans le choix des détails, Verhaeren donne-t-il une impression générale de lassitude ?
— En quoi Verhaeren *visionnaire* diffère-t-il de Rimbaud ?
— Que doit Verhaeren à son pays natal dans ce poème ?
— Étudiez les coupes et la structure des vers (v. 4, 6-7, 20).

La Ville (p. 70) :

— Le désordre de la composition est-il justifié ?
— Le paroxysme de l'annotation dans cette peinture de la ville ; influence sur les poètes modernistes, G. Apollinaire, J. Romains et les « unanimistes ».
— L'emploi du vers libre ; quels effets en tire Verhaeren ?
— Étudiez la sonorité des vers 24-27, 38-41.

Un matin (p. 72) :

— Le sentiment de la nature : qu'a-t-il d'original ? Comment, en même temps que du monde, le poète prend-il conscience et possession de lui-même ?
— Le panthéisme de Verhaeren et l'ivresse dionysiaque (v. 6, 9, 16, 32 et deux dernières strophes). Cf. Comtesse de Noailles.
— Sa vision de la nature.

Le Navire (p. 74) :

— Le symbolisme des images. Montrer en particulier la justesse de l'image vers 11-12.
— Montrer l'élargissement final, vers 21-24.
— Comparer, pour l'idée et pour l'exécution, avec V. Hugo, *Plein ciel (la Légende des siècles)*.
— Verhaeren, poète du progrès.

Lorsque tu fermeras... (p. 75) :

— Les thèmes de l'amour et de la mort dans ce poème : comment s'unissent-ils ?
— Comparer avec le *Crucifix* de Lamartine, pour souligner les différences.
— En quoi consiste le mysticisme de Verhaeren ?

SAMAIN

ÉLÉGIE (p. 78) :

— Qu'est-ce qu'une élégie ? En quoi le titre convient-il au poème ?

— Samain poète des nocturnes : à quelles nuances de sentiment se complaît-il ?

— Relever les « correspondances » entre les états d'âme et le monde extérieur qui apparentent Samain à Baudelaire.

— Les épithètes : que nous révèlent-elles de l'âme de Samain ?

— La musique du vers : comment le poète exprime-t-il par les sons le silence (surtout v. 9-16) et la solitude ?

LE CIEL COMME UN LAC D'OR (p. 79) :

— Montrer comment Samain mêle ici des impressions (à la manière symboliste) à la notation exacte de choses vues (à la manière parnassienne).

— Dites en quoi le dernier vers est parnassien.

— Expliquer les adjectifs *plaintif* (v. 12) et *antique* (v. 14).

LE REPAS PRÉPARÉ (p. 79) :

— Étudier : *a)* la précision affinée : s'attacher en particulier aux adjectifs : vers 4, *claire, brillants ;* vers 7, *vierge ;* vers 8, *bleu, or ; b)* le réalisme élégant, à la fois dans la description de la table et dans l'impression de fraîcheur sur laquelle se termine la pièce ; *c)* la perfection sobre : qualité du vers dépourvu de toute virtuosité inutile ; *d)* les variantes : que nous apprennent-elles sur Samain écrivain ?

MON ENFANCE CAPTIVE (p. 80) :

— En quoi ce sonnet est-il une confession biographique discrète, mais précise ?

— La Flandre vue par Samain : à quel charme est-il sensible ? Quels caractères lui attribue-t-il ? Comparer avec les pages de Verhaeren.

H. DE RÉGNIER

ODELETTE (p. 84) :

— Jusqu'à quel point H. de Régnier définit-il ici sa propre poésie ?

— Le rythme : d'où vient son mouvement berceur ? Étudier l'irrégularité des strophes.

— Les répétitions : quel caractère donnent-elles à la pièce, ainsi que les assonances ?

LE JARDIN MOUILLÉ (p. 84) :

— Rapports des termes aux vers 13 et 14.

— Expliquer le vers 2 ; et l'image des vers 15-16.

— Que veut nous suggérer H. de Régnier par ses deux derniers vers ?

LE BASSIN VERT (p. 85) :

— La composition du sonnet : montrez-en la netteté un peu recherchée.

— Les analogies dans les tercets.

— Les correspondances et symétries dans le style : aisance du vocabulaire.

LE SANG DE MARSYAS (p. 86) :

— Le poème est dédié à Mallarmé : n'y a-t-il pas une intention élogieuse dans cette dédicace, si vous songez au sujet choisi par H. de Régnier ?

— H. de Régnier et le vers libre : justifier l'emploi des mètres, vers 24 à 28; vers 38-42 (effet de soulagement et d'allégresse); vers 54-58 (effet de crescendo). Étudier le mouvement et la structure de ces derniers vers.

VILLE DE FRANCE (p. 89) :

— Le morceau est-il seulement une description ? Cf. vers 21-28.

— L'atmosphère provinciale : à quoi le poète est-il sensible ?

— Le style : antithèses et symétries de termes (v. 3, 6, 12, etc.); symétries entre hémistiches : vers 7, 8, 19, etc.

— Pourquoi les constructions monotones des vers 21-25? Quels sont les effets produits par les enjambements, vers 13-16, vers 37-40, dans un morceau qui n'en comporte que très peu?

IN MEMORIAM (p. 90) :

— L'émotion contenue de la pièce. Connaissez-vous d'autres poèmes inspirés par la mort d'un enfant ou d'un être jeune? Rapprochez-les de celui-ci, pour montrer la véritable originalité d'H. de Régnier.

— Comment le poète renouvelle-t-il de vieilles images, même très usées? Cf. vers 2, 11, 12.

SUR VERLAINE

— Les thèmes verlainiens : que nous apprennent-ils de la sensibilité du poète ?

— Que pensez-vous de ce jugement de Jean Moréas : « Verlaine est un parnassien » ?

— La poésie amoureuse chez Verlaine d'après les pièces citées.

— Verlaine poète musicien : en quoi est-il un représentant de la « poésie pure » ?

— Verlaine poète catholique, d'après les extraits de *Sagesse*.

— L'impressionnisme de Verlaine : en quoi sa manière se rapproche-t-elle de celle des peintres impressionnistes des années 1875 et suivantes ?

— Verlaine versificateur.

— Verlaine déclare dans *Sagesse :*

C'est vers le Moyen Age énorme et délicat
Qu'il faudrait que mon cœur en panne naviguât.

Est-il vrai que Verlaine soit, par l'imagination et par le cœur, un homme du Moyen Age ?

— Que pensez-vous de ce jugement de Jules Lemaître sur Verlaine : « Quand ses idées et ses impressions sont simples et unies, il nous ravit par une grâce naturelle à laquelle nous ne sommes plus habitués, et la poésie de ce prétendu déliquescent ressemble alors beaucoup à la poésie populaire... Il a un charme naïf dans la langueur maladive : c'est un décadent qui est surtout un primitif. »

— Étudiez ces lignes de Remy de Gourmont : « Toutes les poésies de Verlaine sont en bourgeon, et les feuilles déjà visibles, dans ses *Poèmes saturniens*. Certaines libertés prosodiques, dissimulées çà et là, me font douter qu'il ait jamais été un parnassien véritable, au fond de son cœur, au fond de ses nerfs. »

— On a l'habitude de rapprocher Verlaine de Villon. Jusqu'à quel point ce rapprochement vous paraît-il indiqué, soit pour la vie, soit pour l'âme, soit pour l'art de ces deux poètes ?

SUR LES POÈTES SYMBOLISTES

— Verlaine prétend que dans *Bateau ivre* de Rimbaud « il y a toute la mer ». Etes-vous de son avis ?

— A. Thibaudet parle, à propos de *l'Azur* et d'autres pièces de Mallarmé, de la « fatigue et de l'angoisse du poète devant la nature immédiate, étalée et brute ». Vous direz si ces termes conviennent pour définir l'attitude de Mallarmé.

— Vérifiez, à l'aide des extraits, ce mot de Camille Mauclair (*Jules Laforgue*) : « Laforgue est un Parisien pensant... Par son mélange de sensibilité aiguë et d'ironie comme par son style, il fut Français et clair. »

— Commentez ce jugement de R. de Gourmont sur Verhaeren (*Promenades littéraires*, quatrième série) : « Une vie fougueuse, criante s'y (= dans ses livres) démène. Vues par lui, dites par lui, les choses, les moindres, vont prendre des attitudes d'épopée où apparaissent, forces tumultueuses, des foules humaines puissamment bestiales. Tout prend dans ses vers un aspect nouveau, étrange, fantatisque. »

— Samain déclare dans sa pièce *Mon enfance captive* :
  Et maintenant j'entends en moi l'âme du Nord
  Qui chante...
Jusqu'à quel point vous paraît-il être un poète du Nord ?

— Expliquez ce jugement sur H. de Régnier (C. Photiadès, *Revue de Paris*, 1er février 1892) : « Attentif aux sons et aux formes autant qu'aux couleurs et aux parfums, jamais il ne perd de vue leur exemple. Ses impressions de nature, il les reçoit tout d'abord complètes, et si plus tard il les morcelle avec soin, c'est qu'il estime trop le XVIIe siècle et le XVIIIe siècle, c'est qu'il est trop Français pour oublier ce que vaut une sensibilité soumise à une intelligence et quelle paix salutaire la raison établit dans la nature. »

TABLE DES MATIÈRES

Imp. LAROUSSE, 1 à 9, rue d'Arcueil, Montrouge (Seine).
Juillet 1943. — Dépôt légal 1943-4e. — N°1173. — N° de série Éditeur 1083.
IMPRIMÉ EN FRANCE (*Printed in France*). — 1909-2-1957.